HANGJIA
DAINIXUAN

行家带你选

瓷 器

姚江波 ／ 著

中国林业出版社

图书在版编目(CIP)数据

　瓷器／姚江波著. － 北京：中国林业出版社，2019.1
　（行家带你选）
　ISBN 978-7-5038-9886-0

　Ⅰ. ①瓷… 　Ⅱ. ①姚… 　Ⅲ. ①瓷器（考古）－鉴定－中国
Ⅳ. ① K876.34

　中国版本图书馆 CIP 数据核字 (2018) 第 279268 号

策划编辑　徐小英
责任编辑　张　璠　赵　芳
美术编辑　赵　芳　张　璠　刘媚娜

出　　版　中国林业出版社(100009 北京西城区刘海胡同7号)
　　　　　http://lycb.forestry.gov.cn
　　　　　E-mail:forestbook@163.com　电话：(010)83143515
发　　行　中国林业出版社
设计制作　北京捷艺轩彩印制版技术有限公司
印　　刷　北京中科印刷有限公司
版　　次　2019 年 1 月第 1 版
印　　次　2019 年 1 月第 1 次
开　　本　185mm×245mm
字　　数　203 千字（插图约 390 幅）
印　　张　12
定　　价　75.00 元

施化妆土黄釉瓷器·唐代

白瓷唾壶·唐代

进口青料"苏麻漓青"标本·元代

缠枝花卉珍珠地划花瓷枕·元代

◎ 前 言

　　瓷器是中国人的伟大发明和创举。中国的瓷器传遍了全世界，以至于China在英语中即是中国又是瓷器的意思。在漫长的古瓷器烧制史中，青瓷、黑瓷、白瓷、秘色瓷、青花瓷、绞胎、五彩、斗彩、珐琅彩、粉彩……，群星璀璨。越窑的"青翠欲滴"，达到了青瓷器在釉色烧造上的尽头；邢窑的"类雪似玉"，达到了白瓷在釉色烧造上的尽头；定窑的"象牙白"，至今依然令我们回味无穷。唐代的"南青北白"，宋代的官、哥、汝、定、钧五大名窑，元、明的青花瓷，共同将中国古瓷的烧造技术推向了巅峰。清代康熙、雍正、乾隆三朝的古瓷器更是做工精湛、造型隽永，引得多少人如痴如醉，这就是伟大的古瓷器文明。中国古代瓷器的发展经历了漫长的岁月长河，窑系林立、品类繁多，各种瓷器之间的关系十分复杂，并形成了巨大的窑系。各个窑场相互吸取烧造技术，再加之自明清以来金石学的影响，仿制和作伪的古瓷器甚多，使得这些曾经历经风雨才呈现在我们面前的古瓷器，真假难辨，时代难以归属。唯有从器物本身出发，来分析古瓷器的造型、胎体、纹饰、釉色、尺寸、口唇、沿腹、底足等诸多特征，我们才能较为清晰地认识古瓷器，准确地揭示古瓷器所承载的历史信息、以及评判其艺术和经济价值。鉴于此，本书将主要精力放在了引导读者上，力求使读者全面掌握古瓷器鉴定所必需的要点，以及辨伪的知识，使读者在收藏中国古瓷器的道路上少走一些弯路，少受一些挫折。

　　为了达到这个目的，本书力求将浩瀚的中国古代瓷器史以浓缩的形式呈现给读者，通过一件件实物珍品拨云见日，揭开蕴藏在古瓷之上的历史信息，以及大大小小的谜团。本书作者总结了中华人民共和国成立以来，特别是近年来科学发掘出土瓷器的资料，以及实地考察众多博物馆库房内的实物资料，将不同时代古瓷器的鉴定依据以精炼的语言罗列出来，如胎质、釉质、纹饰、开片、尺寸、流釉、化妆土、完残、窑口等，以及原料、淘洗、胎色、粗细程度、杂质、夹砂胎、胎体厚薄、釉质均匀、胎釉结合、瓷化程度、露胎情况等。这些大大小小的鉴定依据环环相扣，互为依托，使纷繁复杂的古瓷器鉴定要点变得十分具体，充分体现了客观性、系统性、连贯性、对比性的编排，使读者一目了然。

　　本书的使用方法十分简捷。见到一件古瓷器，读者首先要做的是断时代。可先根据古瓷器的时

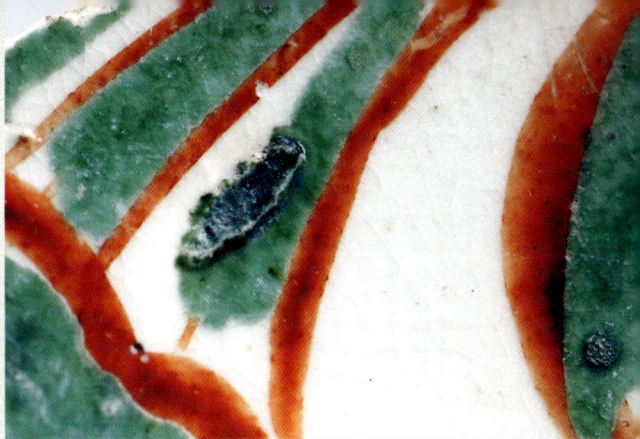

红绿彩草叶纹标本·明代

代背景、造型、纹饰、釉质等特征，将其归属在具体的历史时期，然后与其中鉴定依据逐条进行对比，以辨别其真伪。如宋代五大名窑之一的钧窑钧瓷，其典型釉色为天蓝釉，光泽淡雅，手感细腻，最基本的特点就是相互之间在色彩上差异性小。而本书以大量精美绝伦的钧瓷为研究对象，用诸多纤毫毕现的钧瓷图片来进行对比，再加以必要的文字说明，目的是要读者拿着这本书到收藏市场上，如果看到的钧瓷与我们书中大量出土的钧瓷釉色不同，那么则很有可能是一件伪器。因此这也是收藏者必备的一部工具书，具有实战性。当然，可以对比的鉴定依据还有很多，如，不同时代古瓷器的口唇、腹、底足、胎质、釉质等都是重要的对比对象。如果能够综合进行判断，那么即使一个新手也会对他所要收藏的中国古瓷器有一个较为深刻的认识，由外行变为内行。

另外，本书具有以下三个特点：

1. 本书的策划思路有三点：一是大量的资料累积性；二是尽量用最新的资料和文字；三是尽量选择精美和有代表性的器物。有了以上三点作为保障，本书必将屹立于实力派精品图书之林，以其自身的魅力取胜，而不是以其他。

2. 在撰写本书的过程当中，作者所要把握的原则有两点：一是要真实，拿不准、不确切的不写；二是要全面，不是一个点、一个时期地写。

3. 在特色与价值上，本书的重要特点是基本上以出土器物为主。在真实的基础上得出的结论是正确和具有较强的参考性。

本书的主要目的，是要人们通过古瓷器的主要特征看到其全貌，从而使收藏者真正得到帮助。功能十分具体，就是在收藏者逛市场和到拍卖行时可以拿此书进行对比。这应该无论是新手还是资深鉴定家都很现实需要购买的书。

以上是本书所要坚持的，这也是本书的价值之所在（本书大量的图片应该是第一次对外公布）。

姚江波

2018 年 12 月

◎ 目 录

白瓷罐 · 唐代

白瓷碗 · 唐代

绞胎黄釉瓷枕标本 · 唐代

钧红釉碗（三维复原图）·宋代

兔毫釉盏·宋代

"类汝似钧"瓷器标本·宋代

青花观音·清代

第一章 古瓷器概述

第一节 古瓷器的分期

　　古瓷器同其他的物质一样，从它创烧之日起就开始了产生、发展、鼎盛、消亡的过程。因此，古瓷器的发展是分期的（图1-1、图1-2）。本书根据古瓷器在漫长的发展历程中新旧事物产生的规律，将中国古瓷器的发展历程划分为4个分期：

　　（1）萌生期：大至于商前期至东汉晚期；

　　（2）发展期：东汉晚期至唐五代末；

　　（3）鼎盛期：唐五代末至明末；

　　（4）衰落期：明末以后。

图 1-1 绿釉陶灶·东汉晚期

图 1-2 原始青瓷灶·东汉

图 1-3　青瓷壶·东汉晚期

第二节　瓷器的起源

　　瓷器的产生首先是技术发展的结果（图 1-3），特别是直接来源于陶器制作上的技术起了很大作用（图 1-4）。陶器从仙人洞、甑皮岩等遗址的夹砂陶，发展到以仰韶文化为主的彩陶，在技术上是一次大的飞跃。所谓彩陶就是在红褐色的细泥陶器上施以黑色或红色的装饰花纹。其图案以曲线为主，基本上不见写实图案，以写意为主。本书所见到的仰韶彩陶标本已相当坚硬（图 1-5），敲之能发出清晰的声音，朴素大方。从以上看来，仰韶彩陶胚胎制作已基本达到瓷器的水平，为瓷器的生产奠定了胚胎上的基础（图 1-6）。看来，人们已经懂得去选择较为精细的陶土做原料。这说明，仰韶时期的古人已经有了不断寻找优质陶料的观念。这为人类最终找到并使用瓷土作为制瓷原料开创了先河。

图 1-4　青瓷灶·六朝时期

图 1-6 易碎弧线圆点纹彩陶钵·新石器时代

图 1-5 仰韶文化彩陶标本·新石器时代

从烧造温度上看，陶器烧造温度的不断提高，也为制瓷业的产生提供了条件。最原始的陶器烧造温度很低，可能只有几百度；但在仰韶时期已能达到 1000℃以上，基本达到瓷器的烧造温度。从理论上讲，仰韶文明时期的人只要有瓷土，就完全可以烧造出类似原始瓷的器物来（图 1-7）。但目前还没有发掘出土过此类标本。

基于以上两点，我们完全可以看到陶器在瓷器的产生过程中所起到的巨大作用。当然，陶器在瓷器产生过程中所起的技术及其他作用远不止这些（图 1-8）。还有磨光技术、纹饰装饰、釉汁使用等。但这和人们有没有能力来制造瓷器还是两码事。人们已有了陶器，如果仅仅是为了日常生活所需的话，完全没有必要再发明瓷器了。但是瓷器还是出现了（图 1-9），这是为什么呢？唯一的解释还是需要，只不过是人们更高层次的需要罢了。

图1-7　原始瓷罐·东汉

图1-9　原始瓷罐·东汉

图1-8　铺首纹陶壶·汉代

第二章 东汉六朝瓷器

图 2-1 青瓷壶·东汉晚期

第一节 东汉晚期瓷器

一、青 瓷

东汉晚期真正意义上的瓷器创烧成功（图 2-1）。青瓷是最早烧造出来的瓷器，它的器形主要有：盘、碗、罐、耳杯、盆、盘口壶、盏、砚台、冥器等，多为原始青瓷传统的延续（图 2-2）。但着重以饮食器皿为主。人们终于可以抛开陶制或原始青瓷的饮食器皿用餐了。这对于人们的生活是一大改变。这种改变主要是指人们在用餐时看到这些清新淡雅的餐具，心境上的改变。从此，在用餐时不愿再看到粗制滥造的陶器和容易掉釉、成色不稳的原始青瓷。青瓷器以它独有的魅力征服了人们，首先在与人们生活息息相关的饮食器皿上站稳了脚跟（图 2-3、图 2-4）。另外，在饮酒器皿、日常生活用具，以及文化用具上都有所发展。如耳杯、盆、砚台等。这不仅仅是一种传统的延续，实际上也是青瓷器作为一种新出现的器物种类对传统器形选择的结果。

图 2-2 青瓷壶（高龄土烧造）·东汉晚期

图 2-3 口部饰弦纹青瓷壶·东汉六朝

二、黑 瓷

黑瓷与青瓷是一对同胞兄弟，它们来自同一个时代和故乡。当釉料中氧化铁的含量在 3% 以下时，烧成的就是青瓷；在 4% ～ 9% 以上时就可能烧出黑瓷。黑瓷产生以后，各大窑都有生产，但主要还是以青瓷为主；只有少数窑场专一生产黑瓷，如德清窑。东汉黑瓷的器形主要有碗、钟、壶、罐等。根据用途的不同，有粗细之分。如碗就做得质量好一些；一些大型容器就做得差些，施釉不到底，有流釉现象。这些情况可能与当时黑瓷所处副产品的地位有关系。但黑瓷自产生以来，其发展速度非常快，在社会上广为流传。

图 2-4 青瓷壶·东汉六朝

图 2-6　青瓷壶·东汉晚期

第二节　六朝瓷器

一、青　瓷

1. 越　窑

我国南方青瓷器的发展首推越窑。越窑也称为越州窑，因窑址在古越州境内而得其名。近年来发现的越窑窑址非常多，越窑烧制的时间又特别长，所以显得有些复杂。其脉络为：东汉（创烧）——三国时期（发展）——西晋（进一步发展）——东晋（衰落）——宋元（结束）。从技术、造型、釉色、装饰上看，南方地区在制瓷技术上发展很快（图 2-5）。如在成型技术方面的成就足以使精美器物的烧造成为可能（图 2-6）。在技术力量的支持下，越窑器物在这一时期烧制出了许多在过去看起来很难烧的仿生动物形象造型，如

图 2-5　口径较小的青瓷罐·六朝时期

图 2-7 精美的青瓷盒·六朝时期

鸡壶、熊灯、蛙盂、动物插座等，看来越窑时期的古瓷器在器物烧造上已无障碍，想烧什么造型都可以（图 2-7）。在越窑时期出现的新品种是盏托，并大量烧制堆塑罐。在釉及釉色上，越窑青瓷得益于化妆土和浸釉法的普遍使用，使得胎体光滑，覆盖胎体的颜色较深。

2. 婺州窑

唐陆羽的茶经载"越州上，婺州次……"。可见婺州窑是唐代的名窑。婺州窑的烧造时间为：东汉（创烧）——六朝（发展）——唐至北宋（鼎盛）——北宋后（衰落），看来，婺州窑在六朝时期只是它的发展期，真正的鼎盛是在唐至北宋时期。从时间上看，它是继越窑在东晋衰落之后兴起和发展的（图 2-8）。在陆羽的茶经记载它们时，越窑的鼎盛期已经过去。越窑在鼎盛期留下的产品，特别是饮茶的用具已经成了稀少品，而婺州窑在唐代则刚刚达到鼎盛。根据"物以稀为贵"的原则，本书把婺州窑排在越窑之后。从器形上看，在强大的越窑阴影下生活的婺州窑产品，开始的时候和越窑竞争，但在根本无法取胜的情况下，东晋和南朝时器形开始减少，仅生产人们必需的饮食器皿，如罐、壶、碗、钵、盏、盏托等。另外，为了进一步节省成本和越窑竞争，婺州窑产品的器形进一步增高，造型也更趋向实用。

3. 瓯　窑

《景德镇陶录》："瓯，越也，昔属闽地，今为浙江，温州府。"晋杜毓《荈赋》"器择陶拣，出自东瓯"。我国学者陈万里首先在浙江温州附近发现始于东汉的瓯窑。从器形及质量上看，瓯窑瓷业与商业息息相关，应该是一种商品。由于商品的成批量生产，瓯窑产品在器形上包罗万象，只要是人们需要的都有。西晋后期，瓯窑产品器物种类十分丰富，主要有壶、罐、钵、碗、水盂、烛台、灯盏等，可以与同时期的越窑媲美（图2-9）。在装饰及釉色上，瓯窑的产品如同婺州窑一样和越窑极其相似，这显然是同婺州窑一样仿烧的结果。在釉汁上，瓯窑产品常有胎釉脱离的现象，釉色不稳定，有淡青、青黄、青绿等色。东晋后情况有好转，胎釉结合良好，呈色较稳定，在烧造质量上有所提高。而至南朝，釉色普遍泛黄，并有开片，胎釉结合的也不好，质量出现了下滑。

图 2-8　泛黄釉青瓷碗·东汉晚期

图 2-9　凸弦纹青瓷标本·六朝时期

图 2-10　黑瓷标本·六朝初唐

图 2-11　黑瓷瓶标本·六朝初唐

二、黑　瓷

东汉的黑瓷还带有一定的原始性，进入六朝后继续发展。由于它是烧制青瓷器的一种副产品，所以大多数窑场都烧制。但六朝是青瓷的时代，越、婺、瓯窑都是以烧制青瓷而著称；黑瓷的销售对象可能是针对一些较为贫困的人（图 2-10）。试着看一个主要烧制青瓷的窑场，其黑瓷的质量是不会被人们所看重的。但现实中又有一部分人认为黑瓷的价格较低，而且和青瓷一样实用。再者一些大型的器具使用黑瓷即可（图 2-11），没有必要用价格昂贵的青瓷器。于是客观上需要有专门烧制黑瓷的窑场出现。事实上也是这样的，一个专门烧制黑瓷窑场——德清窑出现了。总的来看，德清窑在器物造型和装饰手法上和同时期其他窑系都十分相似，这可能是互相借鉴的结果。而当时北方的黑瓷多是一些粗制滥造的产品。釉呈黑褐色，以褐色为主，外形仿同时期的青瓷器。

图 2-12　青瓷碗（三维复原色彩图）·东汉

第三节　东汉六朝瓷器鉴定

一、胎质鉴定

1. 从选料上鉴定

（1）高岭土料。东汉六朝瓷器多以高岭土为料，这是由高岭土烧造瓷器的诸多优点所决定，高岭土是最为适合烧造瓷器的瓷土矿，烧制出来的胎体在延展性、细腻性、坚固程度、不变形、呈色上等都可谓是上乘（图 2-12），不过高岭土选料十分复杂，高岭土可以划分为优质、普通、粗质三种，选用不同等级的高岭土料对于瓷器的烧造也会造成一定的影响，一般所呈现出的都是正比关系，较为典型的如越窑中的精致瓷器、普通瓷器、粗糙瓷器等，刚好对应了高岭土料的优质、普通、粗质。但由于东汉晚期瓷器才烧制成功，整个东汉六朝时期的瓷器处于一个初创的时期，因此优质高岭土料的保有率不是很高，一半的比例可能都占不到。

（2）黏土料。黏土料是烧制陶器的原料，也是陶和瓷在本质上的区别，但现实就是这样残酷，由于成本的问题，东汉六朝时期并不是所有的瓷器都使用矿物原料高岭土，而是有一部分也使用几乎不需太多成本的黏土，如当时的欧窑、婺州窑、越窑内就有黏土料的瓷器，包括细泥料、泥质料、夹砂料、夹云母料、夹蚌料等都有见；但有时也见最为优质的黏土材料，胎体几乎没有杂质，可见做工极尽极限。可见使用黏土料烧制的瓷器并非是粗糙瓷器的代名词，区别只是成本问题，从时代上看，各个历史时期没有太大的区别。

2. 从淘洗上鉴定

（1）精炼程度。淘洗是在选料之后的一道工序，东汉六朝瓷器胎体淘洗态度很认真，胎体细腻、致密、滑润，这样的水平在工业时代也非常不易，可见当时人们对于瓷器的热情（图2-13），偶见有淘洗不精炼，多限于粗糙瓷器。

（2）淘洗与胎色。东汉六朝时期由于官窑和民窑的概念并未确立，一般窑场有细瓷、粗瓷之分，胎色白皙多精致瓷器；胎色灰白普通瓷；胎体串色多为粗瓷。

（3）原料与淘洗。瓷器原料与淘洗关系密切，淘洗精炼的瓷器往往选择优质高岭土料，相反则多是黏土料、夹云母料、夹蚌料、夹砂料等，是一种呈正比的关系。

3. 从细胎上鉴定

细胎具有选料优良、淘洗精炼、胎质致密、细腻等特征。东汉六朝瓷器细胎瓷规模比较大，但在数量上明显以六朝为显著特征。从色彩上看，东汉六朝瓷器白色最多、橙红等色次之，高岭土烧造出来的是白胎，黏土料烧造出来色彩基本上以橙色居多。瓷器在精致程度上以精致和普通的瓷器为多见。

4. 从粗胎上鉴定

东汉六朝时期粗胎有见，如胎体串色等，实际上只是原料选择上的问题，由于原料选择不精，所以才造成串色现象，但烧造态度还是相当认真。东汉六朝瓷器粗胎杂质多数颗粒较大；但通常规整，厚薄均匀等方面都没有问题。由此可见，东汉六朝瓷器粗胎只是相

图 2-13　青瓷执壶（三维复原色彩图）·东晋　　　图 2-14　青瓷执壶（三维复原色彩图）·东汉

对而言。从时代上看，在绝对数量上是东汉晚期最多，但从比例上看，则是以六朝时期为多见。

5. 从厚薄程度上鉴定

东汉六朝瓷器胎体厚重者不多，但厚重胎不是一个尺寸上的概念，它只是相对于略薄胎而存在（图 2-14）。从重量上看，东汉六朝瓷器在胎体重量上虽然是略厚，选用的多是优质高岭土矿，淘洗比较精炼。从数量上看，东汉六朝瓷器厚胎有见，但数量很少；从时代上看，厚重胎以东汉晚期为主。

6. 从胎釉结合上鉴定

胎釉结合是否良好？在东汉晚期和六朝时期的某些窑场显然还是个问题，东汉晚期有些瓷器胎釉有剥落现象，六朝瓷器中胎与釉结合的状况基本良好（图 2-15），但胎釉剥落的现象有见，而且有时剥落严重，来看一则实例，"剥釉严重"（南京市博物馆等，1998），像这样的例子不只是偶见，在这里或许人们会不禁而问，胎釉结合良好，这不是瓷器最基本的特征吗？回答是肯定的，然而为了达到这一点，东汉六朝瓷器付出了巨大的努力，如从初期瓷器基本没有施加化妆土，所以容易剥落，后来施加了化妆土，"化妆土可以使胎体光滑"（姚江波，2009），胎釉剥落现象才基本得到控制（图 2-16）。

7. 从黑粒上鉴定

东汉六朝瓷器胎体上有黑粒的情况常见，且较为普遍，大小不一，颗粒状和椭圆形者都有见，通常呈现出的是星星点点状，总之是各种形状的都有。从分布上看，具有不均衡性，局部性的特征，特别是从白色和灰白色的胎体上看尤为清晰，黏土胎上反而看得不是很清楚。从精致程度上看，黑粒与精致程度有关，精致瓷器胎体上的黑粒少，而普通瓷胎体黑粒数量可增多。从时代上看，以东汉晚期为显著特征，六朝时期瓷器的胎体在黑粒上有一定的改善。

图 2-15 青瓷碗（三维复原色彩图）·东晋

图 2-16 黑瓷碗（三维复原色彩图）·六朝时期

8. 从露胎上鉴定

东汉六朝瓷器露胎的情况比较普遍，从特征上看，东汉六朝瓷器在露胎特征上十分明显，以施釉不及底为显著特征，来看一则实例，盘口壶"施青黄釉不及底"（南京市博物馆等，1998）。当然露胎面积大小不一，在时代上东汉晚期面积大一些，这种情况逐渐开始变好，我们可以看到越窑青瓷精致者露胎很少。

另外，变形的东汉六朝瓷器早期多见，中晚期基本不见，与瓷器精致程度有一定的关联。烧造温度早期不是那么高，反之则亦然，但即使东汉晚期烧造温度也多在千度以上，无论是精致、普通、粗糙的瓷器在烧造温度上没有区别。在胎体硬度上非常的坚硬，在保存的完整性上比较好。东汉六朝瓷器胎体致密程度相当好，只是偶见胎体疏松者，但是不同窑口略有区别。

二、缺陷鉴定

1. 从粘连上鉴定

粘连显然是瓷器烧造过程当中的一种窑内缺陷，也就是我们常说的窑粘。东汉六朝瓷器多为叠烧，内底有支钉痕迹，而这种支钉痕迹显然是在窑内由于粘连形成。粘连的情况很多，如一些瓷器在底足部分有粘连的情况，不过制作精细的瓷器窑内粘连控制的比较好。从严重窑粘来看，东汉六朝瓷器中有见，如碗、盘、杯等器皿都容易形成严重窑粘的情况。从窑口上看，没有过于明显的规律性特征，因为窑粘属偶发性，所以各个窑口，如婺州窑、越窑、欧窑等都有可能出现。当然，主流是各个窑口可以将精致瓷器窑粘控制到视觉观察不到的程度，总的来看窑粘对于整个东汉六朝时期瓷器的影响微乎其微。

2. 从破碎上鉴定

破碎的东汉六朝瓷器常见，从数量上看东汉六朝瓷器破碎占主流，墓葬和遗址中都大量有见，主要以遗址最为常见。不过从可复原的情况来看，墓葬内破碎的瓷器能够复原者多见，城址和窑址因为地层扰动严重，瓷器身体的各个部位很难复位。

3. 从破洞上鉴定

有破洞的东汉六朝瓷器基本不见，胎体致密、坚硬、瓷化程度高，已完全烧结的固有本质特征，决定了其不会像陶器那样在局部形成破洞，宁为玉碎不为瓦全，要么全部碎掉，要么完整，看到在坯胎上有破洞等情况。

4. 从裂纹上鉴定

东汉六朝瓷器有裂纹的情况比较常见，但精致瓷器裂纹情况少见，越窑精致瓷器很少见到有裂纹的情况。从时代上看，东汉六朝瓷器在时代特征上较为模糊，各个时代在有裂纹的瓷器上基本相当，难分上下。从精致程度上看，有裂纹的东汉六朝瓷器特征比较明显，呈反比，精致瓷器最少见，普通和粗糙瓷器较为多见。从造型上看，亦无过于规律性的特征。

5. 从油污上鉴定

东汉六朝瓷器中有油污者有见，在日常生活当中出现油污的情况也是在所难免，但这也决定了东汉六朝瓷器有油污者处于偶见状态，再者用精密仪器都难以测到的油污，不会对我们的视觉造成影响。

6. 从口磕上鉴定

口磕的东汉六朝瓷器在造型上有见，这也是瓷器在使用中常见的一种缺损，它的发生具有偶见性。从时代上看，各个时代在比例上基本相当，但从绝对数量上看，由于六朝时期瓷器数量多，所以从概率上看数量也多些。另外，口磕与瓷器的造型关系密切，其口磕的轻重程度与造型也有密切关联，情况严重和轻微之分，如瓷碗的口部很容易磕碰，而瓷盒为子母口的造型，包裹在盖内，一般不容易受到伤害。

7. 从足磕上鉴定

东汉六朝瓷器足磕现象较为普遍，有些瓷器足磕发生的频率应该相当高，如瓷碗是人们日常生活当中的进食器，在使用时不小心造成磕碰的情况很正常。但东汉六朝瓷器足部厚实、修胎仔细、烧造温度高、胎质致密、坚硬等，发生足磕碰的情况实际上并不像想象当中的那样高，从程度上看也是这样。

8. 从伤釉上鉴定

东汉六朝瓷器伤釉情况有见，但并不常见，东汉六朝瓷器缩釉、剥落由窑内缺陷而造成的伤釉情况很常见，窑裂形成的伤釉偶有见。从时代上看，东汉六朝时期伤釉的瓷器时代特征上看以东汉为主，六朝时期从比例上看要好一些。

图 2-18　肩部饰纹青黄釉瓷罐·六朝时期

三、釉色鉴定

1. 从青釉上鉴定

（1）青釉：青釉是指纯正的青色，东汉六朝时期青釉瓷器十分丰富（图 2-17），著名的越窑瓷器在青色的烧造上六朝时期已至顶峰，青瓷器的色彩青翠欲滴，与自然界中的青色几乎相当（图 2-18），而对于自然色彩的追求是越窑青瓷的最高境界。当然，在这一时期还有不少窑场都烧造出了较为纯正的青色瓷器，但相比之下没有越窑的数量丰富。由此可见，东汉六朝时期已经可以烧制出较为纯正的青釉色彩（图 2-19），但从众多出土器物看，六朝瓷器并不是纯粹的青色调，而多是以青色为主导的近亲色彩（图 2-20），真正纯正的青色倒不是很多。几乎所有与青釉可以交叉的色彩都出现了，可见东汉六朝瓷器在釉色上不断地进行了着色的尝试。

图 2-17　六头鸟纹青釉瓷壶·东汉六朝

图 2-19　六头鸟羽纹青釉瓷壶·东汉

图2-20 锯齿纹青釉瓷壶·东汉六朝

（2）青褐釉：青褐釉显然是青色的近亲色调，主导色彩是青色，但釉色在烧造的过程中却偏色渐变成为了青褐色。东汉六朝时期青褐釉瓷器较为常见，主要的青瓷窑口几乎都有此类釉色瓷器。当然，在最初的时候可能是由于釉料中矿物质含量的不同，以及窑内渐变所致，但随着时间的推移，很多窑口似乎并未将其作为一种缺陷，而是作为青瓷器的一个品类在烧造。

（3）青黄釉：东汉六朝时期青黄釉瓷器十分流行（图2-21），特别是在六朝时期十分流行，隋唐时期也较为流行，但总的趋势是时代越早青黄釉的瓷器越多，而时代越晚则反之。我们来看一则南京六朝墓地发掘的实例："碗2件施青黄釉不及底"（南京市博物馆等，1998）。这并不是一个特殊的例子，像这样的例子在东汉六朝时期真是太多了（图2-22）。青黄釉瓷器为东汉六朝时期流行最广泛的釉色之一。

图2-21 完好无损的青黄釉四系瓷壶·六朝　　　　图2-22 釉质较薄的青黄釉瓷碗·六朝时期

　　（4）青灰釉：东汉六朝时期青灰釉的瓷器数量众多（图2-23），为最流行的瓷器釉色之一。这可能是由于青灰色瓷器色彩淡雅，光泽感不刺眼（图2-24），给人们的整体感觉较为柔和。不仅仅是在东汉六朝时期，而且在隋唐、宋元时期也都是瓷器上较为流行的色彩。

　　（5）青灰泛黄釉：东汉六朝时期青灰泛黄釉的瓷器也是较为常见。东汉时期数量较少，几乎不见；六朝时期有见。实际上这是东汉六朝时期很多瓷器在不同程度上都显现出略泛黄特征的表现。

　　（6）青灰略泛蓝釉：东汉六朝时期青灰略泛蓝釉的瓷器的确有见，但数量非常之少。东汉时期由于蓝色调的瓷器很少见，所以青灰略泛蓝釉的瓷器几乎不见；六朝时期从理论上应该会有这类瓷器，但从发掘的情况来看，基本上很少见到泛蓝釉的瓷器。

图 2-23　青灰釉瓷壶·东汉六朝

图 2-24　青灰釉瓷壶·东汉晚期

图 2-25　青灰略泛绿釉瓷器标本·六朝时期

（7）青灰略泛绿釉：东汉六朝时期青灰略泛绿釉的瓷器数量不多（图 2-25），因为这种釉色实质上就是青灰釉的略微偏色形成的。而六朝时期越窑青瓷及其他窑口在色彩上追求的还是纯色，所以从整个情况来看，六朝青瓷器偏色的情况比较少，特别是青灰釉偏色的情况不太多。

（8）青绿釉：青绿釉瓷器也是东汉六朝时期最为流行的釉色。从瓷器库房内实物观测和发掘出土报告比对来看，青绿釉瓷器的数量相当丰富（图 2-26），而且不仅仅是六朝时期常见，东汉晚期瓷器中也十分多见。看来青绿釉瓷器是东汉六朝时期一种时尚。

图 2-26　青绿釉瓷罐·六朝时期

图 2-28 薄青釉瓷盒·六朝初唐时期

（9）青中泛黄釉：青中泛黄釉显然不是青黄釉（图 2-27），而只是青釉瓷器略微有些泛黄，而且有时是局部的。东汉六朝时期青中泛黄釉瓷器十分流行，很多瓷器都是青中泛黄釉。东汉晚期数量少一些；六朝时期青中泛黄釉瓷器的数量较为丰富。

（10）豆青釉：东汉六朝时期豆青釉的瓷器有见（图 2-28），但只是偶见，数量很少，色彩也达不到纯正的豆青。看来，豆青不是东汉六朝时期青釉瓷器所追求的目标。

图 2-27 青中泛黄釉瓷壶·东汉六朝

2. 从茶黄釉上鉴定

东汉六朝时期茶黄釉瓷器较为流行，特别是在东汉晚期比较流行。在东汉晚期的瓷器中就常见有茶黄釉碗；六朝时期茶黄釉碗数量有所增加（图2-29）。其实茶黄釉并不是像黄釉瓷器那样难以烧造，而是比较容易烧造，是直接来源于汉代原始青瓷和绿釉陶器色彩的变种。

3. 从黄釉上鉴定

（1）黄褐釉：东汉六朝时期黄褐釉瓷器有见，但数量不是很丰富。实际上，从釉色上看黄褐釉色并不是十分成熟的色彩，在六朝时期也经常可以看到，多数为窑场兼烧（图2-30）。

（2）姜黄釉：东汉六朝时期姜黄釉瓷器时常有见。

（3）米黄釉：米黄釉瓷器在东汉六朝时期较为流行，特别是东汉晚期及魏晋时期较为流行，东汉晚期和六朝时期常见。

图 2-29　青瓷壶·东汉晚期

图 2-30　青瓷壶·六朝时期

4. 从淡色釉上鉴定

（1）淡黄釉：淡黄釉瓷器在东汉六朝时期较为流行。东汉晚期就有见淡黄釉的瓷器，六朝时期也常见，但此时的淡黄釉瓷器在烧制上显然不太成功。

（2）淡黄略泛绿：东汉六朝时期淡黄略泛绿釉的瓷器偶能见到，而且出现的时间较早。在东汉时期我们就发现淡黄略泛绿釉的瓷器，及其他的器物，如壶、罐等器皿（图2-31）；六朝时期也碰到一些，但数量似乎在减少。

（3）淡绿釉：淡绿釉瓷器在色彩上属单色釉的范畴，从其时代特征上看，东汉六朝时期很少见到此类瓷器的存在。从色彩上看，成色较为稳定，基本上没有串色现象。从浓淡程度上看，色彩较浅。但由于绿色遮挡性较强，所以即使色彩较浅，我们也很难透过淡绿釉看到胎体。从窑口上看，生产淡绿釉瓷器的窑口很多，但都是兼烧。

（4）淡青釉：淡青釉瓷器在东汉六朝时期十分丰富。有很多人看到淡青釉瓷器就认为是复色。其实，仔细看淡青釉瓷器在颜色类别上依然是单色，只不过是色彩的浓淡程度较浅。淡青釉碗在东汉六朝时期就有见，而且数量也不少（图2-32）。

图 2-31 青瓷双系壶·东汉六朝　　图 2-32 青瓷壶·东汉六朝

图 2-33　黑釉瓷壶标本·六朝初唐时期

图 2-34　黑釉瓷器标本·六朝初唐时期

5. 从黑釉上鉴定

（1）纯黑釉：东汉六朝时期纯黑釉的瓷器逐渐进入到人们的日常生活当中，但多数在颜色类别上属复色和串色的瓷器。六朝黑瓷技术有所提高，德清窑烧造的黑瓷"黑如漆"（图 2-33），烧造水平较高。"黑如漆"的瓷器在六朝时期多属于精致的黑瓷（图 2-34），数量很少。

（2）黑褐釉：黑褐釉瓷器在东汉六朝时期较为流行，黑褐釉瓷属复色范畴，黑褐两色融合，赢得了人们的喜爱。从东汉晚期就有发现，直至六朝时期都十分流行。各个窑口都有烧造。从呈色上看较为稳定，只是在釉质的浓淡程度上有所不同。

（3）黑中泛黄釉：东汉六朝时期黑中泛黄釉瓷器有见，黑中泛黄釉不是纯粹意义上的复色釉，黑釉中有黄釉在闪烁，在呈色上不是很稳定。从数量上看，东汉晚期有见，但数量不是很多。

（4）黑中泛紫釉：黑中泛紫釉是复色，实际上这是一种缺陷，黑色和紫色在烧造时的串色。其实不仅仅东汉六朝时期常见黑中泛紫釉的色彩，而且在以后的其他时代都很常见黑中泛紫釉的瓷器。从窑口上看，在东汉六朝时期的许多窑场都有烧造，但多是兼烧，不过兼烧的规模都很大。

6. 从褐釉上鉴定

（1）褐釉：东汉六朝时期褐釉瓷器较为丰富，釉色稳定，没有串色现象，浓淡适中。显然这是该时期在追求色彩纯度上的重要尝试，当然这种尝试很成功。

（2）褐黄釉：褐黄釉是一种标准的复色，是以褐色为主（图2-35），与黄釉进行融合的一种色彩。这种复色瓷器实际上是由于串色形成的，所以，我们看到这类褐黄釉的瓷器在色彩上不是很稳定。有时在一件器物上就有好几种不同的色彩变化。其色彩的浓淡程度也是较深。从数量和流行程度上看，东汉六朝时期褐黄釉瓷器并不是十分流行，只是有见而已。

7. 从酱釉上鉴定

（1）酱釉：东汉六朝时期酱釉瓷器十分丰富，东汉晚期即有见，六朝和隋唐时期都十分流行，而且色彩的纯度较好，呈色稳定，几乎没有微小的串联色彩。在通透性上也较好，色彩的浓淡程度以淡色为主，基本上为淡酱色。虽然酱釉瓷器的数量比较多，但没有发现专一烧造酱釉瓷器的窑场。酱釉色彩属于中性色彩，最适于人们日常生活之用，所以东汉六朝时期大量使用。

（2）酱黑釉：酱黑釉显然属于复色的范畴，是酱、黑两种色彩的集合体，是纯正酱色的衍生色彩。当然在色彩分割上是以酱色为主，以黑色为辅。东汉六朝时期酱黑釉瓷器十分常见。当时的各大窑口基本上都兼烧酱黑釉的瓷器。酱黑釉瓷器作为一种民用色彩浓郁的瓷器在产量上也比较大，但从做工上看，精美绝伦器不是很常见。

图 2-35　青瓷四系罐·东汉六朝

（3）酱黄釉：酱黄釉从色彩类别上看也是一种复色（图2-36），看来是酱釉瓷器出现了如同青黄釉等其他诸多色彩一样的情况，与黄色结合在了一起，这的确是东汉六朝时期在衍生性色彩上的一种趋势。酱黄釉瓷器在东汉六朝时期十分流行，从东汉晚期就有，六朝和隋唐时期也常见。从釉色上看不是很稳定，明显有诸多串色现象。主要表现是许多黄色在酱釉之上闪烁。酱黄釉瓷器在烧造上技术难度不是很高，所以这一时期很多窑口都在烧造这种瓷器。酱黄釉瓷器也是一种民用的瓷器，主要在市井之上流行，真正在上流社会流行的情况很少；从精致程度上看，精美绝伦器也极为少见。

（4）酱褐釉：东汉六朝时期酱褐釉瓷器十分丰富，东汉晚期就常见，六朝和隋唐时期也十分常见。从窑口上看，基本上当时各大窑场都有烧造，但没有专一烧造的窑场。从使用阶层上看，多为市井之上使用，甚至较为讲究家庭应该都不会使用。因为这类瓷器的标本城址内出土较多，而且从出土位置上看，多属于闹市的区域，这说明在当时一些沿街的酒楼内可能较多使用这些酱褐色釉的瓷器。从呈色上看，酱褐釉瓷器较稳定，从色彩的浓淡程度上看属于深色釉的范畴，从整体上看酱褐釉瓷器的烧造已经较为成熟。

图 2-36　青瓷罐·六朝时期

图 2-37　露胎青瓷壶·东汉六朝

图 2-39　青黄釉瓷罐·六朝时期

图 2-38　青瓷壶·东汉晚期

8. 从绿釉上鉴定

（1）绿釉泛黄釉：绿釉泛黄釉不纯粹为复色，因为它只是绿釉之上轻微地泛黄釉，而并不是绿黄釉。从釉色上看显然还不属于成熟的色彩，呈色有游离感（图 2-37），不是很稳定；在浓淡程度上较深。从窑口上看，有很多窑口都有生产，但都是兼烧。从时代上看，东汉六朝时期绿釉泛黄釉瓷器基本都有（图 2-38），东汉晚期和六朝时期数量较少。

（2）墨绿釉：墨绿釉是绿釉瓷器中最为浓重的色彩。从数量上看，东汉六朝时期墨绿釉瓷器的数量不是很多，釉色凝重，在色彩上十分稳定，没有透明感，色彩的浓淡程度相当深，各大窑口基本有生产，但不见规模生产。

9. 从棕色釉上鉴定

（1）棕色釉：东汉六朝时期棕色釉瓷器已经产生，但烧造似乎还不太成熟，鉴定时应注意分辨。

（2）棕绿釉：东汉六朝时期棕绿釉瓷器在数量上较为丰富（图 2-39），是一种复色釉，为棕色釉瓷器的一个变种，而且色彩比较稳定，较为浓深。棕绿釉瓷器东汉晚期基本不见；六朝时期有见，但数量很少。在东汉六朝时期诸多窑口都有烧造棕绿釉瓷器，但都是以兼烧为主。

第三章　隋唐五代瓷器

图 3-1　白瓷双系罐·唐代

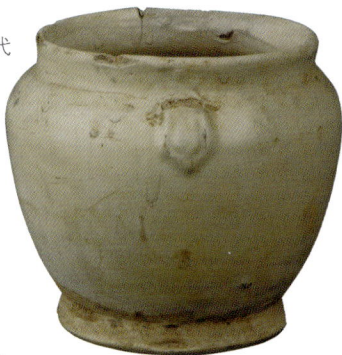

第一节　概　述

一、青　瓷

1.隋代青瓷

隋代的统一，有利于南北的交流，但由于时间短促，隋代青瓷未有超出前代的表现，依然带有浓厚的南北朝气息，只是在造型上更加瘦长了。鸡头壶、盘口壶等器物表现得最为明显，颈部变得细长，罐也非常瘦长，多为敞口、无颈、溜肩、削腹至撇足。在纹饰特征上，莲花瓣纹饰依然流行，但印花和模印贴花在北方窑场很常用，大有流行之势。隋代瓷业的一个突出特点是：由六朝晚期瓷器烧制技术向北方传播的浪潮从未停息过。由于天下统一，南北交流的日益扩大，北方人民对瓷器的需求量增多。为了满足人民群众日益增长的瓷器需要，北方窑场也日益增多，并已初具规模，如河南安阳窑，河北磁县窑的兴起。南方地区的瓷窑也有以江浙为中心继续扩散的趋势，如湖南湘阴窑、安徽淮南窑、江西丰城窑和四川成都窑的兴起等，其距离与浙江的越州已经很远了。同时以上诸窑的出现也说明了以江浙为瓷器烧制中心的地位已经开始松动，有向各地普遍发展的趋势。

2.唐、五代青瓷

唐、五代都是青瓷的大发展时期。唐代青瓷仍然是以南方为主，形成了"南青北白"的局面（图 3-1、图 3-2）。南方地区的青瓷生产当然还是首推越窑（图 3-3），越窑在唐代随着高度发达的社会经济文化的发展而发展。其产品销量猛增（图 3-4），不仅销往国内而且还远销至中亚和海外。

图 3-2　青瓷碗·唐代

图 3-3　越窑青瓷标本·唐代

图 3-4　青瓷标本·唐代

图 3-5 子母口青瓷盒·唐代

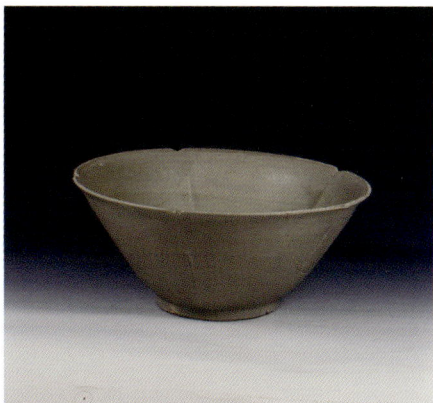

图 3-6 青瓷碗·唐代

　　越窑产品在唐代十分受欢迎，诗中多有盛赞。陆龟蒙《秘色越器》称赞越窑产品"九秋风路越窑开，夺得千峰翠色来"（图3-5）。唐代的越窑青瓷以釉色取胜，如冰似玉，胎质致密，不见分层，气孔少，呈淡灰、灰色。模仿金、银器的纹饰以划花为主，线条流畅、简洁，苍劲有力，奔放，多见荷叶，海棠花系（图3-6）。在晚唐时期越窑大规模使用匣钵烧技术，无支钉痕，器形更加精美了（图3-7）。

　　五代时期，越窑青瓷继续发展。当时，越窑发源地上林湖地区为越国属地，力量较小，经常向后唐王朝进贡，还建立了贡窑。见于《十国春秋·吴越王》："王贡唐金棱秘色二百事。"同书《吴越七》："惟治私献，扣金瓷器万事。"可见确有进贡之事。既然是贡品，那质量一定要比一般的商品高。这样，在无形之中也促进了越窑青瓷进一步的发展。这些瓷也被称为"秘色瓷"。就是说这样的瓷器是贡品，百姓不得使用。五代越窑青瓷与前朝有明显区别，在施釉上均到底，釉质均匀；胎质细腻、制作精巧，胎壁薄，器物十分规整；呈色以青色为主，十分稳定（图3-8）；划花少见。常见的大型器物有缸、瓶等，技术上的进步十分明显。总的来说唐、五代时期越窑瓷器的烧造技术发展了（图3-9）。

图 3-7 青瓷标本·唐代

图 3-8 青瓷标本·唐代

图 3-9 青瓷标本·唐代

图 3-11 黑褐釉双系罐·唐代

图 3-12 黑瓷双系罐·唐代

二、黑 瓷

唐代黑釉瓷器的烧制重心从南方转向北方地区（图 3-10），山东淄博，陕西铜川，河南巩县、安阳、密县等窑都兼烧黑瓷。其原因是南方以烧制青瓷著称，南方的老百姓受传统影响认为黑瓷是青瓷的副产品，没有青瓷好，生产青瓷的窑场多了，价格降了下来，自然都去购买青瓷了。黑瓷在南方的市场被婺州窑和瓯窑以及其他众多窑场挤得没有市场。而北方的老百姓没有这种观念，他们认为黑瓷挺好的，于是黑瓷从南方转战到了北方，并受到欢迎，各大名窑竞相烧制。连烧制唐三彩的巩县窑都烧制黑瓷，看来在北方黑瓷的身份并没有低于青瓷（图 3-11）。在烧造技术上也有了很大提高，质量上比历代黑瓷都好。在隋、唐、五代黑釉产品主要以实用器皿为主（图 3-12），产量极大，流传极广，但特点较少。这可能是被青瓷的光辉所掩盖的缘故吧！主要特点有：碗、盘里外均施釉的为巩县窑独有；淄博窑生产的黑釉产品以平底碗最多。

图 3-10 黑瓷执壶·唐代

图 3—13   白瓷碗 · 唐代

图 3—14   邢窑雪白釉瓷盒 · 唐代

三、白 瓷

白瓷在北朝时已经开始出现，但真正烧制成功是在隋代。白瓷的烧造成功在陶瓷史上具有划时代的意义，它为以后的青花瓷和颜色釉瓷器的烧造奠定了基础。白瓷一经烧制成功就受到了人们的欢迎。至唐代后，与南方形成了"南青北白"的局面（图 3-13）。

人们形容邢窑白瓷"白如雪"这一点也不过分（图 3-14）。但邢窑产品并不都是"白如雪"。"白如雪"是邢窑产品中的一种细瓷（图 3-15）。邢窑产品还有一般白瓷和粗白瓷之分。很显然 3 个层次，反映的是 3 个购买阶层。"白如雪"卖给达官贵人阶层；一般白瓷卖给地主及富农阶层；粗白瓷卖给贫苦农民阶层（图 3-16）。因此，"白如雪"细瓷的数量应该不多。一般白瓷较多，粗白瓷最多。大量实用瓷碗的存在，说明在当时这些碗是用来吃饭的。而寻常百姓谁也不会买这么好的碗来吃饭，一定是王公贵族、富商在使用。而一般白瓷和粗瓷的碗制作起来就没有那么考究了（图 3-17）。胎略粗，壁较厚，呈灰色。玉璧足碗不施釉（图 3-18）；有的有支钉痕，施釉不到底。这样的白瓷碗就较适合普通人家使用，即使打坏了一个也没有什么可心痛的。总之，邢窑白瓷的影响特别大（图 3-19），不仅广销国内，而且远销海外，在伊拉克、埃及、巴基斯坦、日本和伊朗等国的遗址中，都发现有邢窑白瓷的身影（图 3-20）。

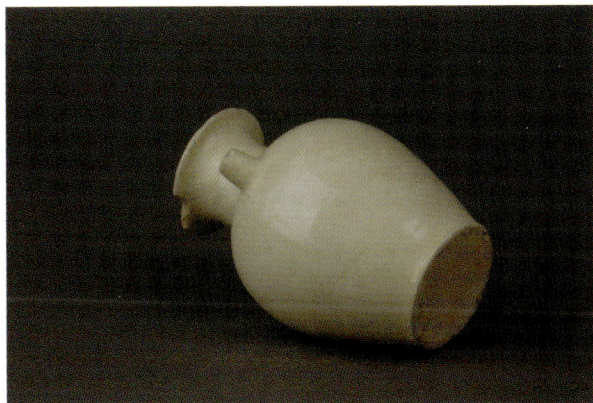

图 3-15 邢窑白瓷执壶·唐代

图 3-16 灰黑胎白瓷标本·唐代

图 3-17 白瓷碗·唐代

图 3-18 玉璧足邢窑白瓷碗 · 唐代

图 3-19 白瓷碗 · 唐代

图 3-20 精致白瓷盖罐 · 唐代

图 3-21 邢窑白瓷盖炉·唐代

图 3-23 邢窑精细胎白瓷碗·唐代

四、邢 窑

（1）概况：邢窑是中国最著名的白瓷窑场之一（图 3-21），也是最早的以烧造白瓷为主的大型瓷窑场。邢窑白瓷处于盛世，烧造精益求精，其产品"通销全国"（图 3-22），特别是在北方地区占份额比较大，在唐代形成了"南青北白"的瓷业格局。

（2）数量：邢窑白瓷在数量上比较丰富，墓葬和遗址中都有见。墓葬多见 1 到几件；遗址出土数量庞大，有的城址可达成千上万件（图 3-23）。由此可见，邢窑白瓷总量巨大，基本上占到整个唐五代时期白瓷的大部分。

图 3-22 邢窑精美绝伦白瓷唾壶·唐代

（3）窑址：邢窑窑址已经发现，与历史记载相吻合，在今天的河北内丘县一带，并以内丘一带为中心向周边扩散（图3-24）。但由于瓷土原料的限制，最终邢窑并未形成巨大的窑系。

（4）时代：邢窑具有鲜明的时代特征，为唐、五代时期名窑（图3-25）。产生于唐代，在唐代物质文化的推动下迅速达到鼎盛，五代时期邢窑基本延续唐代。

（5）精致程度：唐代邢窑白瓷在精致程度上明显分为精致、普通、粗糙3级，以精致和普通白瓷为主（图3-26），粗糙白瓷为辅（图3-27），五代延续。但邢窑白瓷的起点很高，即使有些粗糙的邢窑产品，从我们今天的审美标准来看依然十分精致。可见邢窑白瓷在精致程度上达到了相当高的境界。

图 3-24　雪白釉白瓷碗·唐代

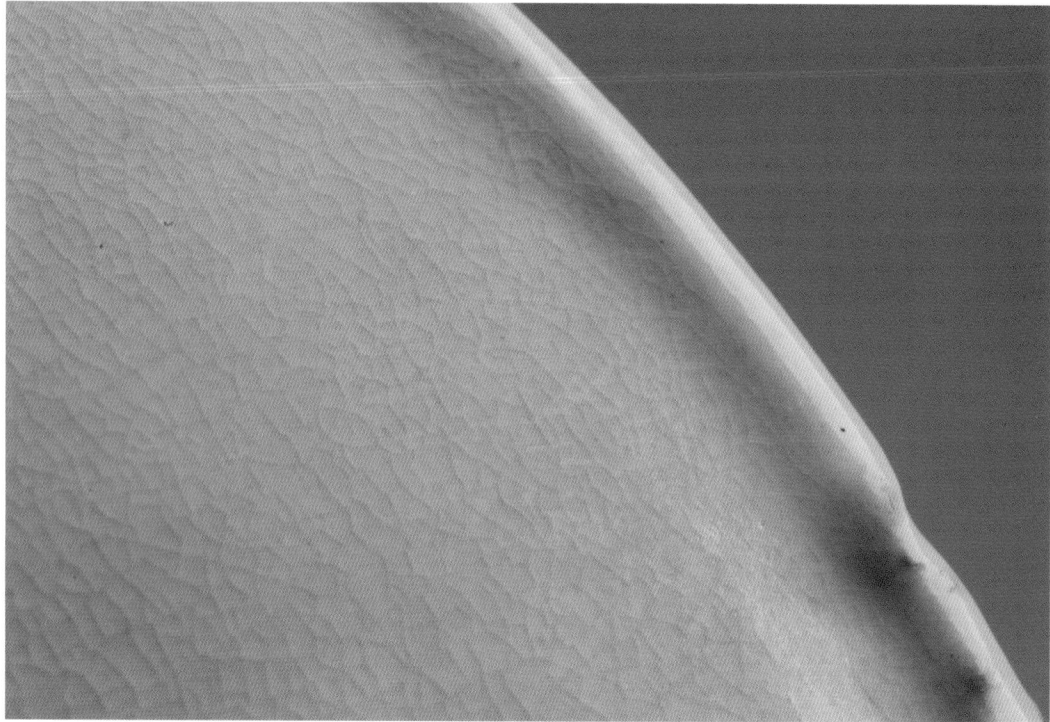

图 3-25　有裂缝的白瓷唾壶·唐代

图 3-26　邢窑精致白瓷胎标本·唐代

（6）器形：邢窑白瓷器物造型十分丰富，如碗、托、盘、碟、盒、托子、执壶、唾壶等都常见（图 3-28）。在比例上以碗、盘等器皿为多见，特别是以白瓷碗最为常见。由此可见，白瓷在器形上主要以人们日常生活用具为主。

图 3-27　微有失亮的瓜棱形白瓷罐·唐代

图 3-28　有裂缝的邢窑白瓷唾壶·唐代

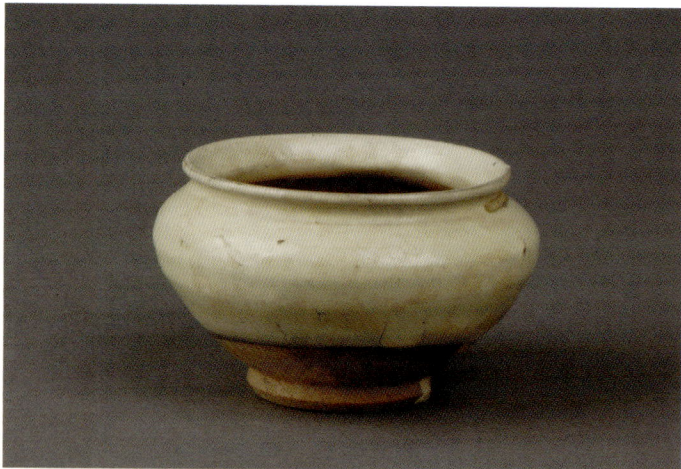

图 3-29　无纹饰邢窑白瓷罐·唐代

（7）纹饰：邢窑白瓷在纹饰上十分黯淡，很少见到有饰纹的装饰（图 3-29），这与邢窑白瓷以"釉质取胜"的风格有关。从根本上看，邢窑白瓷应当是非常排斥用纹饰进行装饰的。

（8）釉质：邢窑白瓷以釉取胜（图 3-30），釉质细腻、润泽，通体闪烁着非金属的淡雅光泽。釉层厚度以略厚釉为主，多数较为稠密，非通透性。釉色以"白如雪"为魁，雪白釉几乎达到了白瓷釉色烧造的巅峰（图 3-31），历代未有超出者。其他如猪油白、乳白等釉色都达到了相当高的水平。

（9）胎质：邢窑白瓷在选料上十分考究，多以高岭土为料（图 3-32），少量细泥胎质。淘洗精炼、致密、细腻，瓷化程度高，杂质的程度很低，在胎体上达到了精益求精的程度。胎色以洁白胎最为著名，总之邢窑白瓷在胎体上达到了相当高的水平。

图 3-30　白瓷盒·唐代

图 3-31　白瓷碗·唐代

图 3-32 胎质细腻的邢窑白瓷标本·唐代

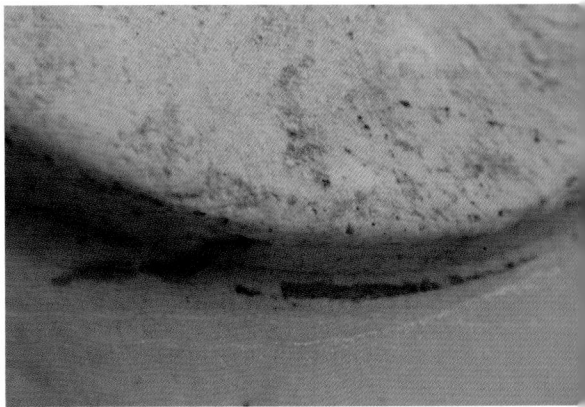

图 3-33 "类雪似玉"的玉璧足白瓷碗·唐代

（10）文化内涵

虽然邢窑白瓷为人们的日常生活用具，但在漫长的岁月中，白瓷形成了特质鲜明的文化内涵（图 3-33）。当然，这种文化内涵本质内容的体现主要在盛唐时期，而且多限定在精致瓷器之上。精美的白瓷造型隽永、釉质润泽、手感光滑、如脂如玉（图 3-34），釉色洁白、纯正，釉层均匀，从外表上看，可谓是精美绝伦。但这并不是其真正的精神内涵，因为，华丽的外表，在衰落期的明清白瓷也有，而当我们今天看到那残缺的邢窑白瓷胎体横截面时，不仅仅是为之感叹！也才真正地理解了大唐盛世之中邢窑白瓷的精神内涵。我们看到的邢窑白瓷是"胎体和外表一样的美"（图 3-35）。具有选料精、淘洗精炼、细腻、洁白、均匀等特点。精致者胎体与釉同色，这可能是人世间最美的艺术品了，想必是在一种强大精神力量的支撑下完成的，这种精神就是追求"真、善、美"。试想，邢窑完全可以只修饰外表，而将不暴露在外表的白瓷胎质做得不是那么好，这完全不会影响到其销售，但邢窑在其文化内涵的作用下没有选择这样做，而是耗费了巨大的工本，使邢窑白瓷变得"内外一致"，这应该是唐代对"诚信"二字最完美的阐释（图 3-36）。

图 3-34 "如脂如玉"的白瓷碗·唐代

图 3-35 玉璧足碗标本·唐代

图 3-36 瓷化程度极高的"内外一致"的白瓷执壶·唐代

（11）影响：邢窑白瓷影响十分深远（图3-37）。综观整个白瓷史，邢窑所代表的白瓷精神内涵其实是所有时代白瓷所追求的最高理想。不仅在唐、五代时期"通销天下"，而且对于后世宋元白瓷有着很深的影响。实际上著名的定窑白瓷也是在邢窑的基础上发展而来，甚至在明清时期乃至现代白瓷中我们也能够看到邢窑白瓷的影子。

图3-37 精美绝伦的邢窑白瓷碗·唐代

五、巩县窑

著名的巩县窑是新中国建立后发现的重要窑址之一。窑址位于今天河南巩县的小黄冶等地。巩县窑是烧制唐三彩的窑场，但烧造年代不是很长。从唐代开始至五代之后逐渐衰落。其产品数量不是很多，但是以精致为主要特征，完全为大唐盛世的产物。从品类上看，巩县窑瓷器在品类上除了烧造有著名的唐三彩外（图3-38），在晚期也烧造一些实用三彩。巩县窑还烧制出了另外一种名瓷——绞胎（图3-39）。巩县窑同时也烧造白瓷，青瓷和黑瓷也有烧造，但数量极少。从造型上看，巩县窑瓷器主要以碗、盘、瓶、壶、罐、枕等为主，与其他窑场相比不能算丰富，都是日常的生活用具，其具体的造型多以玉璧底、撇口和花口等为多，有以造型取胜的倾向。但总体上看，巩县窑瓷器在造型上还是比较简洁，只是在实用的基础上对造型进行了细微改变，附加的造型不是很多。巩县窑瓷器对于装饰比较重视，在许多方面进行了装饰性的尝试。如常常将系做成鼻纽，刻划、印花的情况也有，但数量不是很多。纹饰题材以花卉纹为主，寥寥几笔，进行简单的刻画而已，很少有像长沙窑瓷器那样装饰繁缛的纹饰。总的来看，巩县窑瓷器在装饰上并不是很繁缛。

图 3-38　精美绝伦的巩县窑三彩小口瓶·唐代

从釉质上看，巩县窑瓷器对于釉质十分重视，基本都施化妆土。白釉纯白色的瓷器比较多，发色纯正，这在唐代应该是最好的釉色。灰白色的釉质在巩县窑也是较为普遍。这两种发色的瓷器都是十分精致的瓷器，粗糙的瓷器在巩县窑中很少见。绞胎瓷器的釉质温润（图3-40），光滑润泽，以淡黄色和绿色为主要特征。从影响上看，巩县窑的影响十分深远，其所烧制的唐三彩名扬海内外，辽代形成了辽三彩，宋代形成宋三彩，元明清乃至我们现在对其依然在仿烧。在国外，同时期之后，日本形成了奈良三彩、朝鲜烧制了新罗三彩，这些都是巩县窑巨大影响力的体现。

图 3-39 精美绝伦的绞胎罐·唐代

图 3-40 灰白与红褐相互搅动着的绞胎横截面·唐代

六、越　窑

　　越窑是一个古老的窑场，在隋唐五代时期继续发展，基本上还是以烧制青瓷为主（图3-41）。唐代越窑主要在浙江余姚上林湖一带，与六朝时期的越窑窑场基本一致。实际上越窑青瓷在六朝时期各方面就已经达到了青瓷之最，也就是青瓷器烧造的巅峰。但在隋唐五代时期在其精细化的程度上又进一步发展，将越窑精品瓷推向了一个更高的境界。其中，"秘色"瓷的烧造将这一瓷器精致化的过程推至顶峰。越窑瓷器在品类上主要还是以青瓷为主，大量烧制的是精致的青瓷，还有少量的"秘色"瓷。越窑青瓷产品与邢窑白瓷在品类的质量上不太一样。越窑不像邢窑白瓷那样分为精致、普通和粗糙，而是所有的瓷器力求烧制到最好水平。这是越窑瓷器的重要特征。从造型上看，越窑瓷器的造型在隋唐五代时期虽然比六朝时期有所下降，但从总体上看也比较丰富。常见的造型有碗、盘、碟、盏、盏托、耳杯、粉盒、水盂、唾壶、罐、执壶等（图3-42）。这些造型与六朝时期相比，显然多是继承了传统。隋、唐、五代，越窑瓷器也抛弃了许多瓷器的造型，形成了自己鲜明的时代特征。如六朝时期常见的鸡壶、熊灯等器皿几乎不见了。由上可知，越窑瓷器在造型上的变化的确不小，但这恰好说明了越窑是一个民间窑场，它必须不断地生产出适销的产品才能生存。从装饰上看，越窑青瓷同邢窑白瓷一样，都不太重视装饰，其美感多是通过其简洁的造型，或者是装饰性的造型来实现的。越窑青瓷装饰纹饰的情况并不多见，偶能见到一些装饰有简单刻划纹的青瓷器，其他的装饰形式也很少见。从釉质上看，隋唐五代时期的越窑瓷器主要是以釉质取胜，这一时期越窑瓷器的釉色更为精致化，可以用青翠来形容。釉层均匀，釉质匀净，温润细腻，闪烁着非金属的柔美光泽，有类雪似玉的感觉。在釉色上达到了相当高的境界。

图3-41　通体施釉的青瓷碗·唐代

图3-42　精致青瓷执壶·唐代

七、寿州窑

寿州窑位于今天的安徽省淮南市，目前窑址已经找到，在淮南市大通区的上窑镇。安徽寿州窑是隋唐五代时期一个以烧造黄釉瓷器为主的著名窑场（图3-43）。陆羽《茶经》"寿州瓷黄"的记载与寿州窑瓷器相符。寿州窑黄釉瓷器在烧造上达到了一个很高的水平，开黄釉瓷器之先河。但寿州窑瓷器的烧造基本上终于唐代，所以在五代时期寿州窑瓷器已经不多见了（图3-44）。从品类上看，寿州窑主要以黄釉瓷器为主要特征，釉色以蜡黄、青黄等为多，其他色釉的瓷器烧造得很少。由此可见，寿州窑是一个专门烧造黄釉瓷器的窑场。从造型上看，寿州窑瓷器在造型上主要以碗、钵、盏、杯、壶、罐、执壶等为主，在造型上与其他窑口没有太大区别，都是一些人们生活当中的日常生活用具。从造型上看，产量应该比较大，这对应了寿州窑是一个民间窑场（图3-45），其目标不仅仅是为了将瓷器烧好，而且还有实现最化大销售的目标。当然，寿州窑产品的目标显然是实现了。从出土的情况看，隋、唐、五代时期寿州窑的黄釉产品畅销全

图3-43　精美绝伦的黄釉瓷玩具·唐代

图3-44　白胎黄釉瓷器·唐代

图3-45　寿州窑黄釉瓷碗·唐代

图 3-46　精美绝伦的黄釉瓷罐·唐代

国，在今天的扬州、上海以及北方的许多地区都发现了这一时期的寿州窑产品。从具体的造型上来看，与同时期的越窑瓷器十分相像，只不过胎体比越窑瓷器略厚一些罢了。寿州窑瓷器总体来看并不十分注重装饰，造型简洁，以造型为饰的情况稀有，只有个别器物在其流部或者是口部特征上较为艺术化，如装饰成棱形或是花口形等。纹饰主要以一些简单的刻画纹为主，偶见有纹饰繁缛的。从釉质上看，寿州窑瓷器对于釉质十分重视，基本都施化妆土，发色纯正，釉质温润，杂质不是很严重。但完全没有杂质的釉质也比较少（图 3-46）。釉层多较薄，偶见有厚釉者。这可能与寿州窑瓷器主要为民用瓷，需要节约成本有关。由于釉层不均的缘故，有些瓷器也会出现色彩浓淡有较大差异的情况（图 3-47）。

图 3-47　色彩浓淡有差异的黄釉瓷碗·唐代

八、长沙窑

长沙窑在今天湖南省的长沙市，新中国建立后才得以发现，也是一个唐、五代时期较为著名的民间窑场，产品种类数量众多。长沙窑瓷器的烧造年代从各种唐墓以及窑址出土器物看应该始于唐代，终于五代。从烧造时间上看，也不是很长，看来也是盛唐时期的产物。长沙窑瓷器销售量很大，在各地基本上都能见到长沙窑瓷器的身影。从品类上看，长沙窑瓷器在品类上介于越窑和寿州窑之间，以生产黄釉和青釉瓷器为主。但由于长沙窑处在激烈的窑口竞争之中，所以在大的瓷器品类上也是不断地变化。早期以黄釉瓷器、晚期以青釉瓷器为主。从造型上看，长沙窑瓷器主要以碗、盘、俑、壶、罐、盂、鸟、拳、猪、象、砚台等为主，明显比其他窑场烧造的造型要丰富，除了日常生活用具外还大量烧造艺术品。这反映了当时瓷业竞争的激烈性，而长沙窑瓷器就是以产品全而多通销天下。从装饰上看，长沙窑瓷器十分重视装饰，在装饰上进行了相当多的尝试，有以装饰取胜的显著特征。在装饰上主要以釉下彩绘和模印花为主，各种表现手法并用，如镂刻、刻划、印花、贴花等都有，纹饰题材丰富，常见的有蝴蝶、葡萄、瑞兽、莲花、龙纹、鸟纹、花卉等。在这些纹饰之中，以花鸟纹为主要特征，特别以花卉纹最为多见。这可能是因为花卉纹比较适合于模印的形式。总的来看，花鸟虫鱼等纹饰都较为常见，在隋、唐、五代时期缺少纹饰的瓷器中显得异常耀眼。纹饰线条流畅，有些看起来还比较繁缛，造型隽永，雕刻凝烁。从釉质上看，长沙窑瓷器对于釉质十分重视，基本都施化妆土，发色纯正，前期为黄中带青，后期为青中带黄。釉质温润，杂质不是很严重，但完全没有杂质的情况也比较少。釉层稀薄，看来长沙窑为了适应市场在釉质上不断地改变着自己，只是有些瓷器在色彩的浓淡程度上有较大的差异。

第二节 隋、唐、五代瓷器鉴定

一、胎质鉴定

1.从选料上鉴定

（1）高岭土料：隋、唐、五代瓷器在选料上以精细高岭土料为主（图3-48、图3-49），过于粗质的瓷器胎体几乎不见，优质高岭土料的保有率较高（图3-50）。从胎色上看，不同的高岭土料所呈现的色彩也不尽相同（图3-51），与高岭土料的3个等级呈现正比。以白瓷为例我们来看一下：

细白胎——优质高岭土料——精致瓷器

灰白胎——普通高岭土料——普通瓷器

白褐胎——粗质高岭土料——粗糙瓷器

由上例可见，隋、唐、五代瓷器在高岭土料的使用上显然已经较为成熟（图3-52），特别是精致瓷器，绝不是随意而就。

图 3-48　高岭土胎白瓷执壶·唐代

图 3-49　精细胎高岭土料青瓷标本·清代

图 3-50 细胎青瓷标本·唐代

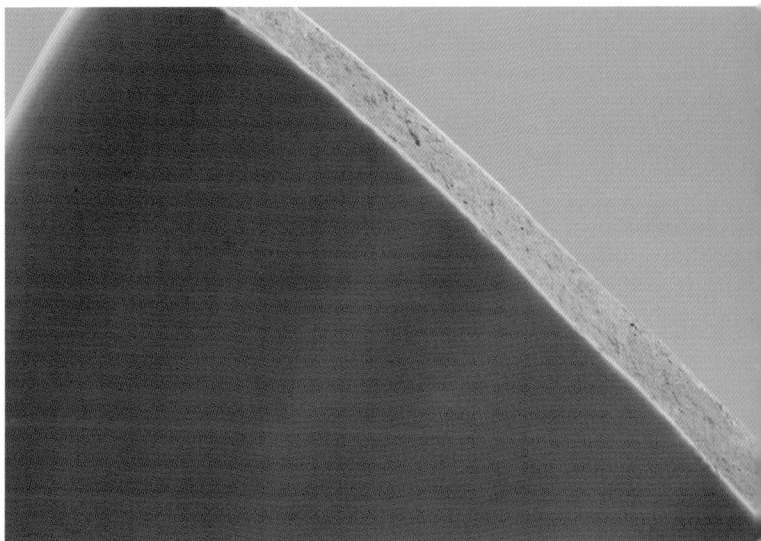

图 3-51 灰胎白瓷横截面标本·唐代

图 3-52 优良高岭土料标本·唐代

（2）黏土料：黏土是自然界中一种最为普通的材料，属硅酸盐材料。人们对于黏土材料的使用可以追溯到陶器的产生。不过这一制陶的材料却与瓷器结缘（图3-53），几千年来形影相随，想必还要贯穿于瓷器发展的始终。同样，隋、唐、五代的瓷器也是这样。在发掘中，我们也能够看到一些黏土烧造的瓷器（图3-54）。这种情况比较常见，如邢窑内就有黏土料的瓷器（图3-55）。但从观念上看，隋、唐、五代这几个历史时期人们对黏土料在观念上却是有着很大区别。

① 隋代：使用黏土的比例很小，这显然是由于隋代初创，人们对于高龄土烧造优质瓷器的观念浓，故很少见有其他选料的情况。

② 唐代：从数量上看，黏土胎瓷器时常有见，但对于唐代精致的黏土胎瓷器而言（图3-56），显然这是观念问题。唐人实际上是在进行一种尝试，力图使瓷器在胎体上出新意，而不是像我们简单的理解是为了节约成本。因为邢窑本身就有不计成本的特点，又怎么会在胎体上节约成本呢？所以对于唐代而言，黏土胎在某种程度上是一种观念的创新，而不是其他。

图3-53　黏土胎黄釉瓷器横截面·唐代

图3-54　胎质疏松的黄釉瓷器·唐代

图 3-55 寿州窑黄釉瓷器·唐代

图 3-56 施化妆土的黏土胎黄釉瓷器·唐代

③ 五代：对于五代时期而言，也许有同样精致黏土料的瓷器，但唐代不计成本，力图革新的观念却在五代瓷器之上找不到，有的只是对于唐代瓷器的模仿。而这样模仿的目的显然是为了节省成本。原因很简单，失去强大物质文化支撑的邢窑瓷器，在唐代末期已经开始衰落，五代时期的经济状况显然不能支撑邢窑瓷器过高的成本，只是盛唐的影响过于强大了，人们一时还走不出盛唐文化的影响。在惯性力量的支持下，五代时期依然吃力地仿烧着唐代的邢窑瓷器（图 3-57）。而这一切都显得是那样的力不从心。于是，像唐代邢窑这种精致黏土胎的瓷器就成为了仿烧的重点。这样做，既可以节约成本，又可以达到仿烧唐代邢窑精致瓷器之目的。这也是我们在五代时期的窑场中过多地看到黏土胎瓷器的原因。由此可见，同样的瓷器，在不同时代烧造它的目的不同。我们在鉴定时要注意体会这种在观念上的不同。

图 3-57 瓜棱白瓷罐·五代

图 3-58　精细胎白瓷横截面·唐代

图 3-59　邢窑白瓷碗标本·唐代

2. 从淘洗上鉴定

（1）精炼程度：淘洗是在选料之后的一道工序。隋唐五代瓷器胎体在淘洗特征上较为鲜明，态度很认真，大多胎体看起来非常的细腻，杂质的颗粒被控制在较小的尺度内。从发掘出土的这一时期的瓷器的横截面来看，多数胎体致密、细腻、手感滑润，这样的工艺水平，即使在今天借助现代机械也是很难做到的（图 3-58）。不过，也偶见有瓷器胎体淘洗不精炼的情况，对于普通瓷器来讲都不是很严重，多限于粗糙的瓷器。当然，造成这种情况的原因很多，多数不属于态度问题，有的是由于原料自身存在的问题，如有些高岭土本身质量就很差，淘洗客观上存在难度。

① 从微观上来看：隋、唐、五代瓷器在淘洗精炼程度上还是可以划分出精炼、普通、粗质 3 个等级的，它们分别对应的是瓷器的精致、普通、粗糙 3 个等级，但瓷器在胎体淘洗上的这种差别与其他特征相比十分微弱，有的时候如果不是仔细观察都很难发现。由此可见，隋唐五代瓷器胎体淘洗精炼的观念已经深入人心（图 3-59）。

② 从宏观上来看：在胎体淘洗的精炼程度上，隋唐五代瓷器表现出了惊人的统一性。从时代上看，无论是隋、唐，还是在五代时期，瓷器在淘洗上都表现出了相似性。诸多遗址之上发现的瓷器也是这样，淘洗整体比较精炼。可见，人们对于瓷器是非常的重视，这样才会出现在淘洗上如此一致的现象。从窑口上看也是这样，唐、五代时期著名的邢窑在胎体淘洗的精炼程度上具有相当强的延续性。

（2）淘洗与胎色：隋、唐、五代瓷器在淘洗的精炼程度上不太明确，但在胎色特征上十分清晰。隋、唐、五代时期由于官窑和民窑的概念还不是十分清晰，所以一般窑场所烧制的瓷器多有精瓷、细瓷、粗瓷之分。胎色白皙的精致瓷器淘洗多是相当精炼（图3-60）；胎色灰白的普通瓷器在淘洗上就明显存在一些问题；而发生串色胎体的粗糙瓷器在原料和淘洗上往往存在问题比较严重。因此隋、唐、五代瓷器在胎色上更能反映出其淘洗的精致程度。

图3-60 白中泛青釉瓷盒·唐代

（3）原料与淘洗：瓷器原料与淘洗的概念指的就是原料与淘洗的关系。通过众多的实物观测发现，瓷器原料与淘洗的关系密切。通常情况下，优质高岭土料在淘洗上非常精炼（图3-61），几乎达到了精益求精的程度，胎体通体一色，各方面的指标均比较好。但我们还发现比优质料略逊一些瓷器胎体，在淘洗的精炼程度上往往不如原料选择最优的胎体；而黏土料、夹云母料、夹蚌料等掺合料，以及夹砂料等，可能淘洗的程度会越来越下降。最差的应该是夹砂料，很多情况下，可以看到颗粒较大的沙砾。因此隋、唐、五代瓷器在原料与淘洗上实际是形成了一种呈正比的关系。从时代、窑口、精致程度等诸多特征上看也是这样。在这里我们就不再过多地进行赘述。

图3-61 淘洗精炼的白瓷标本·唐代

3. 从细胎上鉴定

隋、唐、五代瓷器以细胎为主，总量规模较大（图 3-62），贯穿于始终，但以唐代为主流，五代时期次之，隋代有见。从色彩上看，隋、唐、五代瓷器在色彩上白色最多，橙红等色次之，其他胎色很少见。从精致程度上看，隋、唐、五代时期细胎的瓷器主要以精致和普通的瓷器为主。

4. 从粗胎上鉴定

隋、唐、五代粗胎的瓷器，从杂质上看，多是一些较大颗粒的物质。但隋、唐、五代瓷器在胎体的规整、厚度标准等方面都没有问题（图 3-63）。从时代上看，隋、唐、五代粗胎的瓷器在比例上特征不是很明确，但在绝对数量上显然是唐代最多。

5. 从厚薄程度上鉴定

隋、唐、五代瓷器在胎体上较厚。但厚度是相对而言的，视觉上感觉有些厚的瓷器，手感上并不是很重，这主要得益于隋、唐、五代瓷器在原料的选择上比较讲究，选用的多是优质高岭土矿，淘洗又比较精炼，所以自然就轻。

6. 从胎釉结合上鉴定

隋、唐、五代瓷器中胎与釉结合状况良好（图 3-64），瓷器基本上都施加了化妆土，保证了胎釉结合的紧密性。稳定的工艺使得隋、唐、五代瓷器在胎釉结合上达到了新水平。

图 3-62 白中泛青釉瓷盒·唐代

图 3-63 略粗胎青瓷·唐代

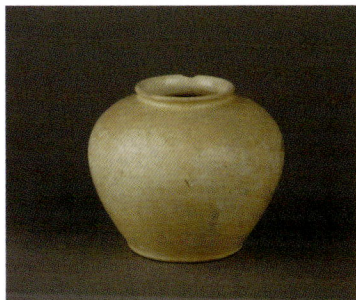

图3-64 胎釉结合良好的白瓷罐·唐代　　图3-66 寿州窑露胎黄釉瓷碗·唐代　　图3-67 半釉处轻微流釉的白瓷碗·唐代

7. 从黑粒上鉴定

隋、唐、五代瓷器胎体上有黑粒的情况有见，较为普遍（图3-65），形状不一，以星点状为主，有的像针尖一样，分布不均衡。从精致程度上看，隋、唐、五代瓷器胎体之上的黑粒与精致程度有密切关系，二者呈现出的是正比的关系，瓷器越精致，黑粒越少，反之则亦然。

8. 从露胎上鉴定

隋、唐、五代瓷器露胎者常见，从总量上看，这与唐初"施半釉"的习俗有关（图3-66）。隋代瓷器露胎的情况并不严重。唐初的时候由于多年的战乱，民财匮乏，人们在烧造瓷器时为了"惜釉"只施加了半釉，以至露胎更多。到了中唐以后，唐代经济迅猛发展，物质文化达到了封建社会的顶峰，而"惜釉"的习俗被人们接受并保留了下来（图3-67），成为了隋、唐、五代瓷器的一个特点。但这种习俗显然是有限的，如著名的邢窑就以施全釉为显著特点，特别是精致瓷器施全釉。这一点我们在鉴定时应注意理解。

图3-65 胎体略有黑粒的黄釉瓷器标本·唐代

9. 从变形上鉴定

隋、唐、五代瓷器变形者并不常见，但的确有变形的情况，特别是一些极度的民间窑场。如寿州窑粗糙的黄釉瓷碗，有的时候为了节省材料碗壁太薄，而温度又没有提高，这样的产品在窑内很容易就失去了力学平衡，容易发生变形。但还有一类窑场，如越窑和邢窑，它们固守着优良的传统，宁可不赚钱也不会像寿州窑那样制作一些变形的产品。这种两极化的倾向我们在鉴定时应注意分辨。

10. 从温度上鉴定

烧造温度与瓷化程度密切相关，烧造温度高的瓷器瓷化程度高，反之则低。隋、唐、五代瓷器烧造温度都比较高，胎体完全可以烧结（图3-68），这一点无论是精致、普通、还是粗糙的瓷器都是这样。

11. 从硬度上鉴定

隋、唐、五代瓷器胎体坚硬，特别是一些历史名窑的瓷器更是这样。如著名的邢窑白瓷，不仅仅是坚硬，而且胎体比较厚实（图3-69）。所以当代完整的邢窑瓷器数量依然是相当丰富，经受了岁月的考验，令人们为之惊叹不已。从时代特征上看，隋、唐、五代瓷器没有过于复杂的规律性特征。

图 3-68 柔和淡雅的乳白釉执壶·唐代

图 3-69　闪烁着油脂光芒的猪油白釉白瓷碗·唐代

图 3-70　邢窑浊白釉瓷盂·唐代

12. 从致密上鉴定

隋、唐、五代瓷器胎体致密程度相当好（图 3-70），偶见胎体疏松者。从时代上看，以唐代为主，隋代和五代时期略逊。从精致程度上看，精致的瓷器所对应的基本都是致密胎体。而普通、特别是粗糙瓷器所对应的致密程度大多较好（图 3-71），偶见有疏松者。从窑口上看，名窑显然比普通窑场要好得多。

图 3-71　白釉微闪青黄的瓜棱瓷罐·唐代

图 3-72 破碎白瓷碗标本·五代

二、缺陷鉴定

1. 从粘连上鉴定

隋唐五代瓷器粘连的情况很多，这与其制作方法有关。精制瓷器粘连情况控制得比较好，普通和粗糙瓷器在控制窑粘上往往不能幸免，只是严重程度有不同而已。从严重窑粘连来看，如两件器物粘连在一起的情况有见，这样的废品无法销售，烧造完全失败。容易粘连的器物以碗、盘、杯、碟、盆等为主。

2. 从破碎上鉴定

破碎的隋唐五代瓷器有见（图 3-72），从数量上看，墓葬出土瓷器破碎比较少；主要是遗址内十分常见。从时代上看，隋、唐、五代各个历史时期没有太大的区别，同样在精致程度上也没有区别，破碎具有偶见性（图 3-73）。

图 3-73 绞胎黄釉瓷枕标本·唐代

3. 从破洞上鉴定

隋唐五代瓷器有破洞的情况基本不见，这是由瓷器自身固有的胎体致密、坚硬、瓷化程度高等特性决定的。瓷器硬度大，但非常脆，不会像陶器那样局部产生了破洞，整个器物还不会碎掉。瓷器一旦受到外力，达到一定程度顷刻间就会破碎，所以一般不会出现破洞。

4. 从裂纹上鉴定

裂纹能够被人们的视觉所识别，有轻微和严重之分。隋、唐、五代墓葬和遗址内经常出土有裂纹的瓷器。但从总量上看不是主流，特别是精致瓷器之上很少见到。即使普通和粗糙的瓷器，在釉面特征上通常也是良好（图3-74）。从时代和精致程度上看都没有过于规律性的特征。

5. 从油污上鉴定

隋、唐、五代瓷器中有油污者有见，这是因为在人们日常生活当中在所难免。不过从数量上看，隋、唐、五代瓷器有油污的比较少。

6. 从口磕上鉴定

口磕的隋唐五代瓷器常见（图3-75），客观上形成了一些重要的鉴定依据。通常情况下口磕都非常自然。口磕与造型有着莫大的关系，如瓷碗的沿部很容易磕碰，在辨伪时应注意这种部位上的差别。同时，也要辨别老茬口和新茬口，老茬口已经呈现出钝化（图3-76），而新茬口要特别注意一不小心割破手。在精致程度上，没有过于规律的特征，无论是精致、普通、粗糙的隋、唐、五代瓷器都有可能发生口磕。

图3-74 大开片黄釉瓷器·唐代

图 3-75　褐釉鼓腹瓶·五代

图 3-76　芒口钝化的寿州窑黄釉瓷注·唐代

图 3-77　足部微有磕碰的黄釉瓷罐·唐代

图 3-78　足部有磕的青瓷碟标本·唐代

图 3-79　釉层略有剥落的寿州窑黄釉瓷玩具·唐代

7. 从足磕上鉴定

隋唐五代瓷器有足磕的现象较为普遍。足磕和口部磕碰一样，都是在使用过程当中容易发生的残损，什么时候发生具有偶见性（图3-77）。从程度上看，在精致程度上，呈现出明显的正比关系。精致的隋唐五代瓷器足磕的情况特别轻微（图3-78），或者少见，如一些较为精致的唐代玉璧足的瓷碗，很多几乎是完好如新的一样。而粗糙瓷器之上足磕则是非常普遍，这显然是由于随意性所导致。

8. 从伤釉上鉴定

隋、唐、五代瓷器上伤釉的情况有见，但数量不多，多为偶见。磨、划、蚀、磕碰、剥落等实际上都应该算是伤釉的范畴（图3-79）。对于隋、唐、五代瓷器而言，胎釉剥落的情况很少见，其他几种情况不是技术问题，由于是偶发性的，情况很复杂，没有规律性可言。另外，由于窑内缺陷而导致的伤釉也是时有发生，如缩釉等。但数量不是很多，多数与普通和粗糙的瓷器有关。精致瓷器很少见到。

三、釉色鉴定

1. 从青釉上鉴定

隋、唐、五代时期青釉瓷器十分丰富，著名的越窑瓷器在青色的烧造上青翠欲滴（图3-80），达到了相当高的境界。

（1）从青褐釉上看：青褐釉显然是青色的近亲色调。隋、唐、五代时期青褐釉瓷器较为常见，诸多窑口都有烧造，由于釉料中矿物质含量的不同，以及窑内的变化等因素，都会导致青褐釉的出现。

（2）从青黄釉上看：隋、唐、五代时期青黄釉瓷器十分流行（图3-81），但总的趋势是时代越早，青黄釉的瓷器越多，而时代越晚则有所减少。

（3）从青灰釉上看：隋、唐、五代时期青灰釉瓷器数量众多，为最流行的瓷器釉色之一。这可能是由于青灰色瓷器色彩淡雅，光泽感不刺眼，给人们的整体感觉是较为柔和，所以不仅仅是在隋、唐、五代时期，而且在宋、元时期也都是瓷器上较为流行的色彩。

图3-80　青瓷唾壶·唐代

图3-81　青黄釉玉璧足青瓷碗·唐代

（4）从青灰泛黄釉上看：隋、唐、五代时期青灰泛黄釉的瓷器也是较为常见。唐代这种青灰泛黄釉的瓷器经常可以看到；其他时期偶有见。

（5）从青灰略泛蓝釉上看：隋、唐、五代时期青灰略泛蓝釉的瓷器的确有见，但数量非常之少。

（6）从青灰略泛绿釉上看：唐代瓷器，特别是北方新窑场生产的青釉瓷器在色彩上往往偏色较为严重。从某种程度上讲，色彩偏的任何一种程度都是有可能的，而青灰略泛绿的釉色也偶然可以看到。我们来看一则实例"唐代瓷器，T2605③d：1釉色青灰略泛绿"（西北大学考古队，2002）。但青灰略泛绿釉的瓷器数量不是很多，我们在鉴定时要注意。

（7）从青绿釉上看：青绿釉瓷器也是隋、唐、五代时期最为流行的釉色，从瓷器库房内实物观测和发掘出土报告比对来看，青绿釉瓷器的数量相当丰富。

（8）从青中泛黄釉上看：青中泛黄釉显然不是青黄釉，而只是青釉瓷器略微有些泛黄，而且有时是局部的。隋、唐、五代时期青中泛黄釉的瓷器十分流行，很多瓷器都是青中泛黄釉。

（9）从豆青釉上看：隋、唐、五代时期豆青釉瓷器有见，但只是偶见，数量很少，色彩也达不到纯正的豆青。看来，豆青不是隋唐时期青釉瓷器所追求的目标。

总之，传统的青瓷在隋唐五代时期依然兴盛不衰，但还是以南方产为主，与北方新兴起的白瓷在唐代形成了"南青北白"的瓷业格局（图3-82），共同将唐代瓷业推向巅峰状态。

图3-82　精美绝伦的青瓷盒·唐代

2. 从白釉上鉴定

白瓷器在隋代烧制成功，但色彩纯正程度还有待改善。在唐代，产生了以烧造白瓷为主的邢窑（图3-83），在白瓷的烧造技术上达到了相当高的水平，几尽白瓷烧造的尽头，史上少有超出者。邢窑白瓷有精致、普通、粗糙3种，普通和粗糙的白瓷器中很少见到有纯正的白色，主要是以精致瓷器为主。当然，在唐代许多其他窑场也在兼烧白瓷，偶尔也能见到与邢窑白瓷器相媲美者，但都相当不稳定。

（1）从灰白釉上看：灰白釉瓷器不是唐代的主流釉色，但时常也有见。像邢窑那样烧造白瓷的主流窑场很少见到灰白瓷器，多是一些小的窑场烧造的粗糙白瓷器。

（2）从鸡骨白釉上看：隋唐时期鸡骨白釉瓷器比较少见，在隋代几乎不见，唐代早中期也很少见，但在唐晚期之时有见鸡骨白釉碗，但只是偶见。

（3）从乳白釉上看：乳白釉瓷器在唐代数量不少，但真正乳白釉邢窑瓷器却不是很多，多是一些仿烧邢窑的瓷器。特别是唐代一些地方窑场烧造的白瓷器，在色彩上有很多是乳白釉。其实乳白釉并不是一种十分成熟的釉色（图3-84），多伴着流釉的痕迹。如河南陕县观音堂窑所烧造的瓷器就常见有乳白色瓷器。

（4）从象牙白釉上看：隋唐时期象牙白釉瓷器不是很多，在唐代晚期有一些，但似乎并不是邢窑白瓷器的色彩，多为一些小的窑场所仿烧邢窑的产品。

图3-83　精美绝伦的白瓷罐·唐代

图3-84　平底乳白釉瓷碗·五代

图 3-87　精美绝伦的白釉泛青瓷盒·唐代

　　（5）从猪油白釉上看：唐代
猪油白瓷器经常可以看到。猪油白
釉是一种亮度很高的白釉（图 3-85），
这与唐代邢窑白瓷所追求的纯色十分相
似（图 3-86），所以猪油白釉在唐代获得了很
大的发展空间。我们来看一则唐宋时期重庆云阳乔家院子遗
址发掘的实例，"唐代瓷器，釉色呈猪油白"（西北大学考古队，
2002）。这并不是一个很特殊的例子，实际上在唐代有诸多这样猪
油白釉的瓷器。

　　（6）从白中泛青上看：隋、唐、五代时期白中泛青的瓷器数量
很少。唐代早、中期数量很少，只是在唐晚期有见。但以微泛青釉
的瓷器为主（图 3-87），有白中闪青和微闪青釉等，较为浓重的白
中泛青釉瓷器基本不见。

图 3-85　精美绝伦的猪油白釉瓷碗·唐代

图 3-86　猪油白釉白瓷标本·唐代

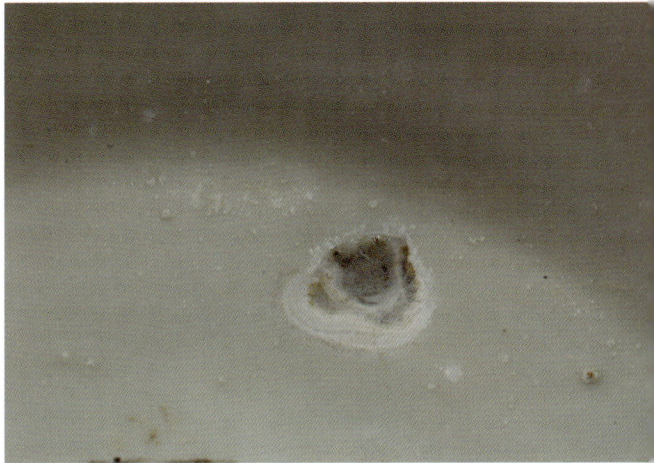

图 3-88　施半釉黄釉瓷罐·唐代

3. 从黄釉上鉴定

黄釉瓷器唐代才烧制成功。唐代寿州窑烧制出了成熟的黄釉瓷器（图3-88）。但唐代黄釉瓷器所追求的似乎并不是纯色，而主要是以烧制蜡黄、鳝黄等为主色调的瓷器。其他窑场所烧造的黄釉瓷器基本上也是这样，纯黄的色彩少，而主要是以黄色为基调的衍生色彩。

（1）从黄褐釉上看：隋、唐、五代时期黄褐釉瓷器有见，但数量不是很丰富。实际上，从釉色上看，黄褐釉色并不是十分成熟的色彩，在六朝时期也经常可以看到，唐代也有见，但真正安徽寿州窑很少见，多数为其他窑场兼烧（图3-89）。

（2）从蜡黄釉上看：隋唐五代时期蜡黄釉瓷器十分丰富，蜡黄的色调使黄釉瓷器显得十分优雅，而且颜色比较深，通透性不是很强，给人以浓重黄色的感觉。蜡黄釉瓷器多精致，是安徽寿州窑的主流产品，多流行于上流社会，市井之上少见（图3-90）。蜡黄釉瓷器是盛唐气象的象征，流行的时代仅限于唐代。

图 3-89　敛口黄釉瓷碗·唐代

图 3-90　色泽稳定的蜡黄釉瓷器·唐代

图 3-91 黄釉泛绿釉瓷器·唐代

图 3-92 米黄釉瓷器标本·唐代

（3）从鳝黄釉上看：鳝黄釉瓷器也是唐代安徽寿州窑的主打产品。像黄鳝皮一样的色调使许多人对于唐代黄釉记忆深刻。同样，这种颜色比较深，色彩在通透性上不是很强。鳝黄釉瓷器的影响比较大，深入到了民间，在同时期有许多窑场都在烧造鳝黄釉的瓷器。

（4）从黄绿釉上看：黄绿釉瓷器在隋、唐、五代时期十分常见。在唐代，不仅是安徽寿州窑善于烧制，其他窑场也都烧制黄绿釉的瓷器（图 3-91）。黄绿釉瓷器同样是以深色为主要特征，影响也比较大。

（5）从姜黄釉上看：隋、唐、五代时期姜黄釉瓷器时常有见。在数量上较前朝进一步丰富，但著名的寿州窑姜黄釉倒是很少见。这说明姜黄釉瓷器显然不是黄釉瓷器的主流。姜黄釉瓷器是以黄釉为基调衍生出来的色彩。这显示了唐代黄釉瓷器在色彩追求上的多元化趋势，已经形成了庞大的色彩体系。另外，在色彩上，姜黄釉瓷器逐渐改变了寿州窑黄釉瓷器以深色为主的特征，逐渐向淡黄靠近。

（6）从米黄釉上看：米黄釉瓷器在隋、唐、五代时期较为流行，特别是早期较为流行（图 3-92）。但米黄釉瓷器在著名的寿州窑黄釉瓷器中很少见，显然不是唐代黄釉瓷器的主流特征。米黄釉属于色彩较有深度的颜色，在东汉六朝时期还显得很不成熟，在色彩上几乎无浓淡分界；至唐代，米黄釉瓷器看起来烧制已经较为成熟。

由此可见，唐代黄釉瓷器在色彩上是包容了众多衍生性色彩的（图 3-93），而这些色彩有很多是在借助传统。

图 3-93 黄釉瓷执壶·唐代

4. 从黑釉上鉴定

隋、唐、五代时期，纯黑釉瓷器逐渐成为一种时尚（图 3-94），
进入到人们的日常生活当中。虽然烧造黑瓷的窑场相当丰富，但专
有的黑瓷窑场却并不多见，通常情况下都是兼烧。唐代黑瓷在技术
上已经较为成熟，纯黑色彩相当普遍。但由于黑釉瓷器的民用色彩
极为浓重，所以即使在唐代也有相当多黑釉瓷器在色彩上不是很纯
正。

图 3-94　黑瓷小口瓶·唐代

（1）从黑褐釉上看：黑褐釉瓷器在隋、唐、五代时期较为流行。从色彩上看，黑褐釉瓷器显然属于复色的范畴，黑褐两种色彩融合在一起。这种色彩在幽暗程度上有所降低，但看起来黑釉瓷器已不是那样的凝重，给人以放松的感觉。正是由于这样，黑褐釉瓷器赢得了人们的喜爱，隋、唐时期都十分流行，而且影响十分深远。我们可以看到，在宋、元瓷器中同样发现了诸多黑褐釉瓷器。黑釉瓷器在隋、唐、五代时期为最普通的民用瓷（图3-95），数量众多，各个窑口基本上都有烧造。

（2）从黑中泛黄釉上看：黑中泛黄釉不是纯粹意义上的复色釉，它只是在黑釉中有黄色闪烁，而并非是黑釉和黄釉的融合。但这是一种烧造成功的黑瓷釉色，只不过在呈色上不是很稳定罢了。从数量上看，隋唐时期继续发展，数量有所增加，特别是在唐代中后期，我们发现有许多黑釉瓷器上闪烁着黄釉的色彩。

（3）从黑中泛紫釉上看：黑中泛紫釉也是一种复合的色彩，但不纯正。因为只是黑釉瓷器上泛出一些紫色彩，实际上这是一种缺陷。黑色和紫色本身在烧造时就容易串色。其实，不仅仅隋、唐、五代时期常见黑中泛紫釉的色彩，而且在以后的其他时代都很常见黑中泛紫釉的瓷器。从窑口上看，在隋、唐、五代时期的许多窑场都有烧造，但多是兼烧，不过兼烧的规模都很大。

图 3-95　釉色纯正的黑瓷罐·唐代

图 3-96 绞胎罐·唐代

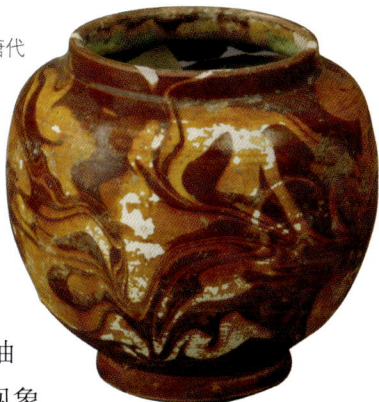

5.从绞胎釉上鉴定

绞胎釉最早产生于唐代。其釉色是以淡黄釉为主要特征（图 3-96），因为只有浅淡的色彩才能更清晰地凸显绞胎的纹理，而深黄色的效果则不是很好。从色彩类别上看属单色釉范畴,色彩十分稳定,基本上没有偏色和串色的现象,通透性极强, 几乎是透明釉, 只不过釉色是淡黄而已。从釉色的浓淡程度上看十分均衡, 以淡色为主（图 3-97）。生产淡黄釉绞胎瓷器的窑场为著名的巩县窑, 其他的窑场很少烧造。另外, 还有一种绿釉绞胎。唐代绿釉绞胎有见, 但数量不是很多。从色彩上看同样属于单色, 只不过是和淡黄釉色彩不同的绞胎釉色。这是一种较为成功的色彩, 呈色稳定, 无串色等现象, 通透性良好, 色彩浓淡程度以淡色为主, 淡淡的一层绿色, 几乎是透明的。我们可以透过釉色看到多变的绞胎纹理。在唐代, 见到巩县窑有烧造, 但数量不及淡黄釉多。当然其他窑场也有烧造, 但数量更少, 质量也不如巩县窑好。

图 3-97 巩县窑绞胎瓷器标本·唐代

6. 从三彩釉上鉴定

三彩是介于陶瓷釉质之间的一种器皿（图3-98），明器三彩碗处处表现出的是低温度烧造所呈现出的柔和色彩，色彩十分艳丽，光泽淡雅，最为美丽。实用三彩釉表现出的有这样的意味，但由于温度较高（图3-99），所以色彩往往表现得不是那样的柔和，而且上面多有一些小的烧炸的开片。三彩釉是一种烧制较为成熟的釉质，看似艳丽的色彩实际上呈色十分稳定，色彩的浓淡深浅掌握得十分恰当。三彩的色彩比较多，从理论上讲，白、黄、绿、蓝、紫等色彩都应该有（图3-100），但我们在发掘中常见到的多为白绿釉和黄绿釉等。白绿釉常常是较为纯正的绿色和白色交织在一起，形成色彩对比鲜明绚丽的颜色。黄绿釉上的绿色一般较为纯正；但黄色往往不是纯正的黄色，有时呈现出橘黄，有时则呈现出橙黄等色。但这样的色彩搭配看起来似乎更加柔媚。从窑口上看，盛唐的三彩瓷器主要还是由河南巩县窑生产（图3-101）。"安史之乱"后，发现地方小窑有仿造的迹象，出现了一些质量粗糙的三彩瓷器，完全没有了盛唐明器三彩釉那种淡雅、温润的感觉。从出土位置上看，主要出土于洛阳和西安，及这两个地方辐射的地区，但出土数量比较少。如河南三门峡市位于河南和洛阳之间，古丝绸之路的要道，但发现三彩瓷器的数量不过几件；另外，像当时的一些大城市，如扬州等地也发现过一些三彩瓷器，但从数量上看也不是很多。所以如果我们在不恰当的地方，发现了数量众多的三彩瓷器，从地域和数量上我们就应该能判定其是伪器。

图3-98　精美绝伦的明器三彩盒·唐代

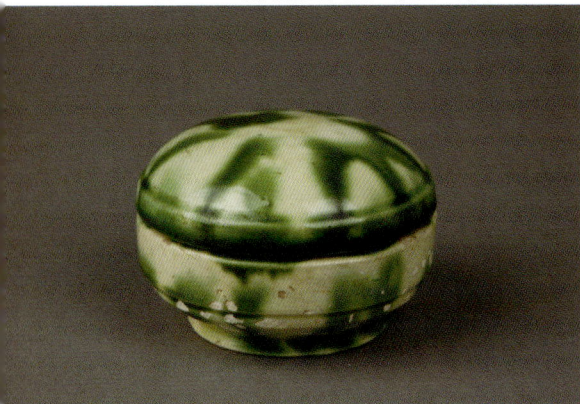

图3-99　三彩釉高岭土胎标本·唐代

图 3-100　白胎三彩武士俑·唐代

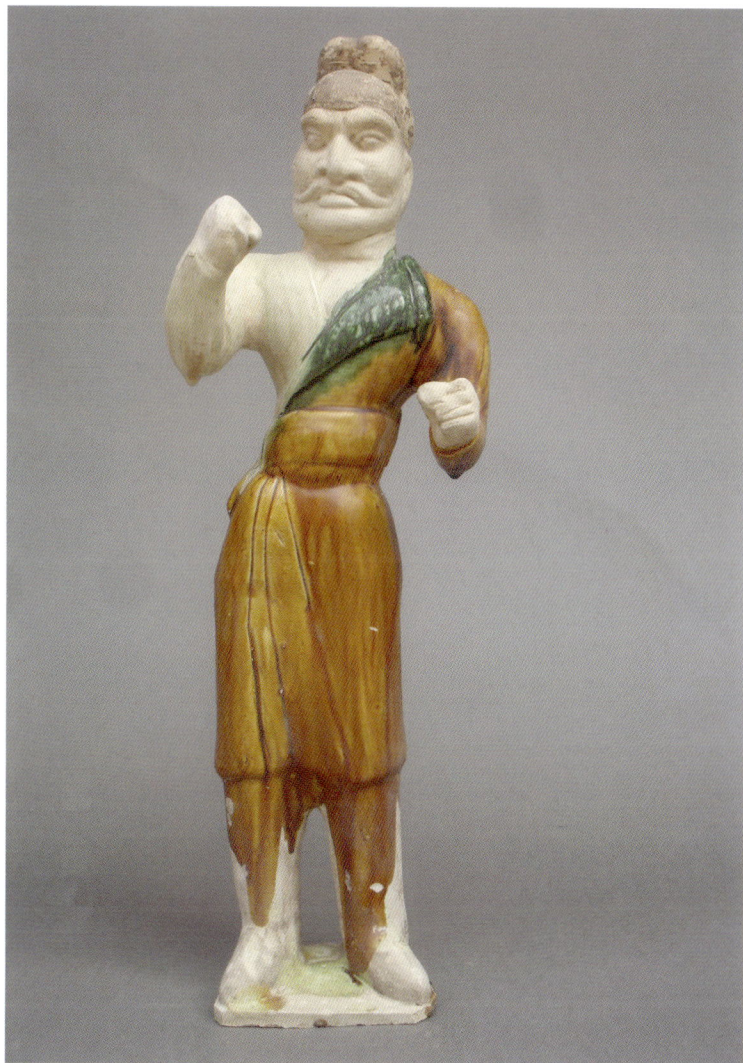

图 3-101　大口三彩碗·唐代

四、釉质鉴定

1. 从厚薄上鉴定

隋、唐、五代瓷器以厚釉为主（图3-102），
薄釉为辅。从时代上看，隋代有厚釉，但薄釉
也占据有一定的比例；唐代厚釉的比例急剧上
升，迅速占据绝对主流地位。如唐代著名的邢
窑瓷器中几乎全是厚釉；五代时期基本仿烧唐
代。从窑口上看，隋、唐、五代瓷器有着两极化
的特点，著名的邢窑以厚釉为主；但在扬州发现
的许多瓷碗胎体都非常的薄，而且十分粗糙，应
为寿州窑系的产品。由此可见，隋、唐、五代时期
瓷器的厚薄与精致程度其实有一定关联。

图3-103　釉质稠密的黑瓷执壶·唐代

2. 从稠密上鉴定

隋唐五代瓷器以釉质稠密为显著特征，稀薄者少见。如果说有
见，可能隋代能够看到一些，而到了唐代，釉质基本上都是稠密（图
3-103），五代延续唐代，稀薄者为偶见。

图3-102　厚釉白瓷罐·唐代

图 3-104　开片控制较好白瓷罐·唐代

图 3-105　通透性较好淡黄釉绞胎标本·唐代

3. 从开片上鉴定

隋代瓷器开片严重。唐代开始有意识地控制釉面上的开片（图 3-104），如著名的邢窑瓷器之上很少能够看到过于大而深刻的开片。从形状上看，稀疏开片、细碎开片、细小开片都有见，但表现得很微弱。五代时期基本延续唐代。从精致程度上看，隋、唐、五代瓷器精致程度与开片有着某种关联。从实物观测来看，精致瓷器釉面开片最微弱，有很多视觉观测不到；普通瓷器基本也是这样，只是偶见有开片略严重者；而开片失控的往往是粗糙瓷器。

4. 从均匀上鉴定

隋、唐、五代瓷器釉层均匀程度比较好（图 3-105），从厚釉与薄釉上看都是这样。从精致程度上看，釉层均匀与精致程度的关系密切，精致瓷器几无不均，普通和粗糙瓷器偶见有釉层均匀程度上的问题。

图 3-108   光泽淡雅的雪白釉瓷盒·唐代

图 3-106   流釉明显的黄釉瓷器·唐代

5. 从流釉上鉴定

流釉是一种窑内缺陷（图 3-106）。从理论上讲，任何瓷器釉面都应该有流釉现象，只是程度不同。从时代上看，隋、唐、五代瓷器流釉具有普遍化特征，这与唐代"施半釉"的习俗有着某种关联。半釉处常见流釉（图 3-107），而且比较大。从精致程度上看，精致的瓷器之上流釉轻微或少见，而反之则亦然。鉴定时要注意分辨。

6. 从杂质上鉴定

釉面杂质从概念上看是一种窑内缺陷。隋、唐、五代瓷器釉面杂质总体不是很严重（图 3-108），但情况比较复杂，可以分为匀净、轻微、严重 3 级。从精致程度上看，精致瓷器杂质很微弱，而普通和粗糙的瓷器则有着轻微和严重杂质两极分化的现象。

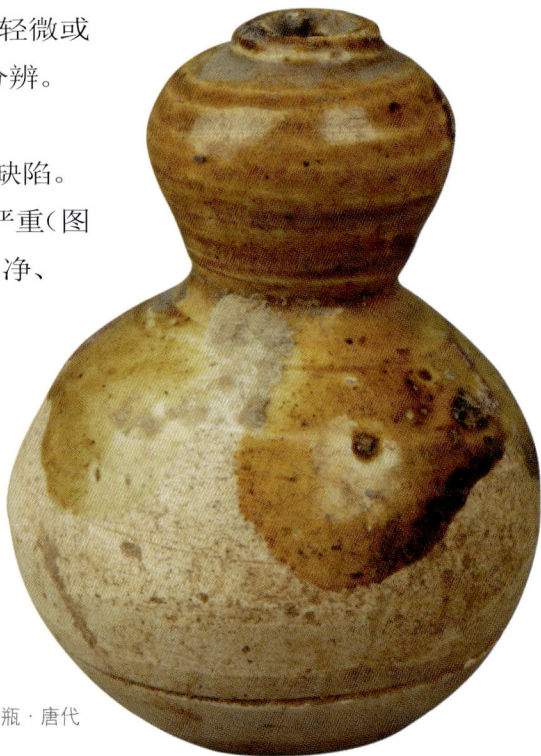

图 3-107   严重流釉的黄釉瓷瓶·唐代

图 3-109　施加化妆土的黄釉瓷罐·唐代

7. 从化妆土上鉴定

化妆土犹如在化妆之前先打粉底一样，在瓷器施釉之前先在坯胎上施一层薄薄的化妆土料（图 3-109），目的是有利于胎釉结合，有效防止胎釉剥离等现象的发生。隋、唐、五代瓷器基本都施加化妆土，但化妆土可以分为精致、普通、粗糙 3 级，分别对应瓷器的精致程度，偶见相互打破的情况。从露胎上看，普通和粗糙瓷器有不施加化妆土的情况，也有整器仅施化妆土的情况。

8. 从手感上鉴定

隋、唐、五代瓷器精致者有玉质感，润泽、润滑感，普通瓷器也能达到润滑（图 3-110），而粗瓷则有异感、涩感和突兀不平感。另外，在重量上隋、唐、五代瓷器普遍感觉不是那么重，特别是唐代精致瓷器，这与其选料精良有密切关系。

图 3-110　纯白釉白瓷盒·唐代

图 3-111　通体施釉白瓷唾壶·唐代

五、施釉部位

1. 通体施釉

隋、唐、五代瓷器通体施釉者有见（图 3-111），但数量可谓是凤毛麟角。原因一是唐代有"施半釉"的习俗；二是实用的需要。通体施釉成本比较高，市场竞争力不强。一般情况下底足都不施釉。

2. 局部施釉

隋、唐、五代瓷器多数为局部施釉，如施釉不及底、施半釉、施釉仅至下腹部、施釉仅至近足处等（图 3-112）。

下面让我们具体看一下这些特征。

（1）施半釉：施半釉是隋唐五代瓷器上最重要的习俗。但所谓的"半釉"显然并不是尺寸意义上的，只是一种感觉"半釉"而已（图 3-113）。

（2）器内施釉：隋、唐、五代瓷器在器里施釉的情况十分常见，这与其主要是实用器皿有关。如碗、盘、碟等盛器内壁一定都要施釉。

图 3-112　黄釉瓷注·唐代

图 3-113　黄釉瓷注·唐代

六、造型鉴定

1. 从口部上鉴定

隋、唐、五代瓷器口部特征造型复杂，常见的有敞口、敛口、侈口、花口、直口、子母口等（图 3-114），可见口部种类比较多。不过，显然这些口部特征在前代都有过。从器形的选择上看，不同的器型，如碗、盘、碟、壶等，对于瓷器口部造型的选择不同。如敞口的概念比较广泛，可以囊括碗、盘、碟等造型；但是如盘口壶的造型就比较单一，其口部特征就是盘口的造型，不可改变。另外，盒的造型多数是子母口。从衍生性上看，不同的口部造型都会衍生出不一样的衍生性造型。如敞口，就可以派生出大敞口、小敞口、微敞口等造型。从功能上看，敞口主要以散热为主，小口内敛主要是为聚物，总之，不同的口部特征，功能不同。

2. 从唇部上鉴定

隋唐五代瓷器唇部种类常见圆唇、方唇、尖唇、尖圆唇、厚唇、薄唇、撇唇等，以尖圆唇为主。在厚薄上，以厚唇为主（图 3-115），兼具薄唇。从衍生造型上看，隋唐五代瓷器还有着丰富的衍生性造型，如卷唇可以衍生为微卷、弧卷、唇沿微内卷、卷圆唇等。从器形选择上看，不同的唇部造型器形选择不同，如方唇常见于灯、碗、壶、瓶等器皿；尖唇常见于碗、盘、盏等。在功能上，隋、唐、五代瓷器的唇部造型主要有两个方面：一是以实用为主；二是实用与装饰性的融合。如尖圆唇的造型，既体现了挺拔俊秀之美，又具有实用性。

图 3-114　子母口黑瓷盒·唐代

图 3-115　厚唇白釉泛黄瓷罐·唐代

图 3-116 大折沿白瓷唾壶·唐代

图 3-117 丰满鼓腹黑瓷双系罐·唐代

3. 从沿部上鉴定

隋唐五代瓷器沿部造型十分丰富，主要有平沿、折沿、敞沿、敛沿、撇沿、薄沿、花口沿等。这些沿部造型多为传统的延续（图 3-116），其出现的频率并不均衡。通常撇沿、薄沿等最为常见；而花口沿、敛沿相对少见。部分沿部造型衍生性很强，如折沿可以衍生成为斜折沿、平折沿、折沿下斜、小折沿等造型。在功能上，隋、唐、五代瓷器沿部造型并不复杂，以实用和装饰性的融合为主。

4. 从腹部上鉴定

隋、唐、五代瓷器在腹部特征上造型繁多，如鼓腹、深腹、球形腹、折腹、浅腹、曲腹、坦腹、弧腹、圆腹、直腹、斜腹等都有见（图 3-117），可见其种类的确是十分丰富。从出现的频率上看，参差不齐。从形制上看，以视觉为判断标准。从衍生性上看，比较丰富，以鼓腹为例，常见的衍生性造型有：微鼓腹、近鼓腹、扁鼓腹、大鼓腹、鼓腹较小、弧鼓腹、瓜棱腹等。从数量上看，以鼓腹、浅腹、弧腹为主；直腹、折腹、敞腹、球形腹、瓜棱腹、曲腹等数量有限，有的处于偶见的状态，如球形腹，在数量上非常少。隋、唐、五代瓷器腹部造型在器形的选择上比较固定化，如盒在隋、唐、五代时期多是直腹，似乎是形成了共识。在功能上主要体现出的是实用与装饰结合紧密。

5. 从底部上鉴定

隋、唐、五代瓷器造型主要以平底为主，底部平衍和微凸、微凹的情况都有见。圆底有一定的量。从衍生造型上看，主要以平底为主，如大平底、小平底等（图3-118）。从数量上看，隋、唐、五代瓷器平底造型占据绝对优势；圆底及其他异形底相对少见。在器物造型的选择上，平底的造型涉及器物众多，如碟、坛、碗、盏、盘、罐、瓶、盆等都有见（图3-119）；圆底的造型只涉及一些特殊的造型，如炉、釜等。从功能上看，隋、唐、五代瓷器底部造型在功能上主要以实用为主，兼具有装饰的功能。如玉璧形足的底部，显然就极具装饰性的功能，同时实用性也很强。

图3-118　小平底寿州窑普通黄釉瓷碗·唐代

图3-119　平底白瓷碗标本·五代

图 3-120 圈足猪油白瓷碗·唐代

图 3-122 喇叭形足白瓷盂·唐代

6. 从足部上鉴定

隋、唐、五代瓷器足部造型比较复杂，圈足（图 3-120）、饼足、花形足、尖状足、山字形足、玉璧足、蹄形足、小饼足等都有见，可见其在足部造型上十分丰富。不过这些足部造型判断的标准是视觉，如饼足像烧饼，玉璧足如玉璧，完全是一场视觉盛宴。从衍生造型上看，隋、唐、五代瓷器在衍生造型上十分丰富。圈足的衍生性造型有数十种，如大圈足、小圈足、高圈足、矮圈足、薄圈足、方圈足、敛圈足、斜直圈足、环状圈足、假圈足、喇叭状圈足、近饼形足圈足、宽圈足等。从数量上看，隋、唐、五代瓷器足部特征以圈足为主，其他足部特征数量有限。从窑口上看，不同窑口会有自己典型的足部造型，如玉璧足的造型在邢窑瓷器中常见。但多数足部造型没有固定的窑口特征（图 3-121）。在器形选择上，隋、唐、五代瓷器中不同的足部造型会选择相应的器物造型，如玉璧足造型选择的器物造型多是碗，在其他的器皿上则很少见到。从功能上看，隋、唐、五代瓷器足部特征功能上主要体现出的是实用和装饰的紧密结合（图 3-122）。

图 3-121 玉璧足白瓷碗·唐代

图 3-123　莲花纹青瓷标本·唐代

七、纹饰鉴定

隋、唐、五代瓷器纹饰种类很多，常见的主要有：波浪纹、鸳鸯对衔绶带纹、凹弦纹、冰裂纹、碎波纹、划花纹、云纹、花卉纹等（图 3-123）。从种类上看，多为传统的延续。在隋、唐、五代瓷器之上刻划纹饰的情况虽然有所增多，但从总体上来看，隋、唐、五代瓷器依然还是以釉质取胜。在"南青北白"的瓷业格局当中的青瓷和白瓷对纹饰都还是抵制的态度。如白瓷十分黯淡，多数光素无纹。不过这只是瓷器的主流窑场，实际上唐代诸多的窑场还是延续了刻划纹的传统，以及对于纹饰进行了许多有效的探索。有的纹饰看起来很复杂，如鸳鸯对衔绶带纹、鸟纹、波浪纹等。但其仍然属于刻划纹的范畴（图 3-124）。如在唐代，实际上青花瓷已经产生，并有一定规模的生产，但遗憾的是，隋、唐、五代时期传统纹饰的观念正酣，青花瓷这一釉下彩绘的饰纹方法并未得到真正的发展。还有像隋、唐、五代时期的黄釉瓷器，其装饰纹饰的情况比前代有所增加。从线条上看，隋唐五代瓷器在纹饰上，线条流畅、刚劲挺拔，具有相当的艺术感染力（图 3-125）。

图 3-124　刻划花卉纹青黄釉瓷盏·唐代

图 3-125　纹饰线条流畅的青瓷盒·唐代

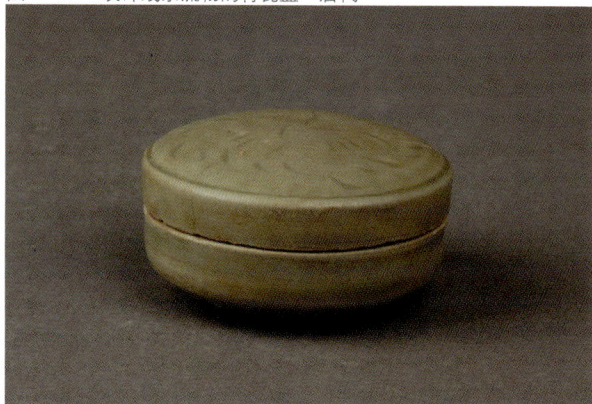

第四章　宋元瓷器

图 4-3　天青釉莲花式温碗·当代仿宋

第一节　概　述

　　经五代至宋后，政通人和，社会稳定，各色中国古瓷器品种在这样一种良好的环境中继续发展，终于迎来了古瓷器的鼎盛时代。这一时期的古瓷器在烧制上达到了顶峰，瓷器生产的重心从南方移到了经济文化发达的北方（图4-1），特别是在中原地区，形成了官、哥（图4-2）、汝（图4-3）、定、钧五大名窑（图4-4），以及磁州窑（图4-5）、耀州窑（图4-6）、登封窑、介休窑、淄博窑、景德镇窑、龙泉窑（图4-7）、吉州窑、建窑、同安窑、泉州窑等，真是群星璀璨。在这些瓷窑及窑系的发展当中，随着"官窑"的建立和"民窑"的大发展，我们第一次清晰地看到了"官窑"与"民窑"这两种不同的瓷器发展体系。

图 4-1　缠枝花卉珍珠地划花瓷枕·宋代

图 4-4　月白釉钧瓷罐·宋代

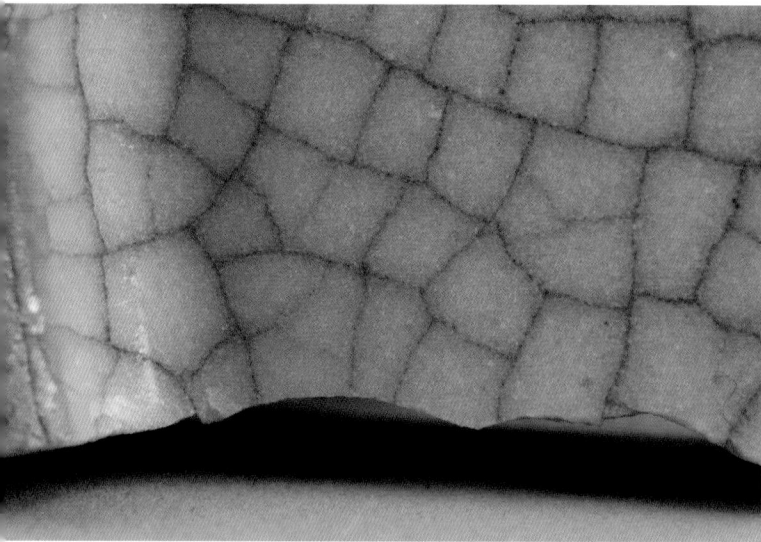

图 4-2 哥窑瓷器标本·宋代

图 4-5 白釉画花瓷器·宋代

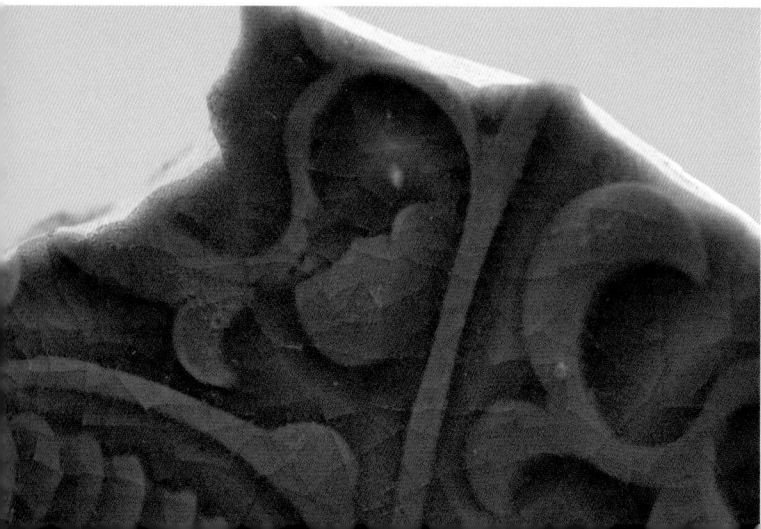

图 4-6 白色高岭土胎青瓷·宋代

图 4-7 龙泉窑青瓷碗·宋代

一、官 窑

1. 北宋官窑

北宋官窑设在汴京附近，为宋徽宗开创，时间很短。南宋顾文荐《负暄杂录》称"宣政间京师目置窑烧造，名曰官窑"。看来就算从宋徽宗政和元年（公元 1111 年）算起，至宣和七年（公元 1126 年）为止，最多也只有 15 年之久。究竟徽宗的官窑烧制的是什么样的精美瓷器？由于窑址被埋在现开封城以下 6 米（图 4-8），我们目前尚无法得知。明《格古要论》载"汴京官窑色好者与汝窑相类"，我们只能以此为据，推测汴京官窑的产品和汝窑相类似。但又不是，它们之间在各方面还是有区别的，只是色好者与汝窑相似罢了。《负暄杂录》又载："本朝以定州白瓷器有芒不堪用，遂命汝州造青窑器，故河北、唐、邓、耀州悉有之，汝窑为魁。江南则处州龙泉县窑质颇粗厚。宣政间，京师自置窑烧造，各曰官窑。"这一记载实际上是说明了烧造官窑瓷器的理由。但从其一个侧面也可以看出官窑瓷器必是总结了天下各大名窑的特点，烧制出来的瓷器。可是直到现在，我们仍不得知位居五大名窑之首的官窑瓷的真面目！我们只能从北宋官窑的近亲南宋官窑来窥视它。

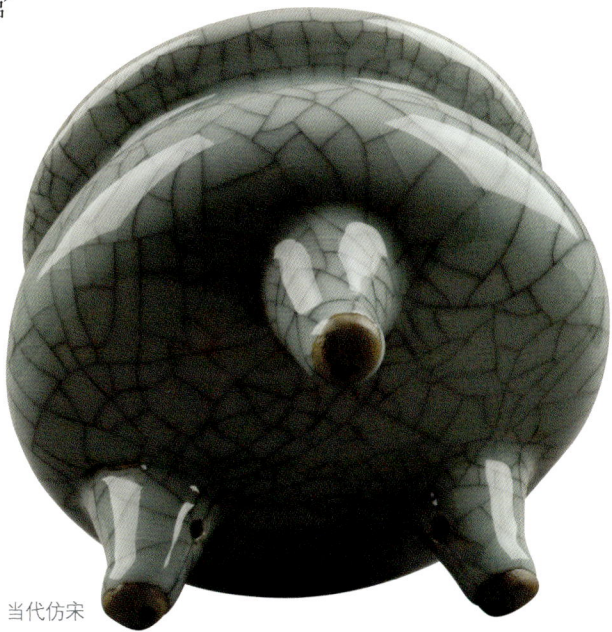

图 4-8 北宋官窑瓷香炉·当代仿宋

图 4-9　哥窑开片釉瓷器标本（三维复原图）宋代

2.南宋官窑

唯一能较全面窥视到北宋官窑真面目的是南宋官窑，这一点是有根据的。南宋《负暄杂录》载："中兴渡江，有邵成章提兴后苑，号邵局，袭故京遗例，置窑于修内司，造青器，多内窑。澄泥为范，极其精致，釉色莹澈，为世所珍。后郊坛下别立新窑，亦曰官窑比旧窑大不侔矣。余知乌泥窑、余杭窑、续窑，皆非官窑比。若谓旧越窑，不复见矣。"可见，南宋官窑的确是承北宋官窑而烧制的官窑。一为修内司官窑；二为郊坛下官窑。为宋高宗南下后承其父志建立的官窑。官窑瓷器胎质细腻、有薄有厚，釉层厚润，"紫口铁足"，釉色多为粉青色，口缘边棱等薄处现出胎色，厚釉多有大开片。厚胎者灰青色，多见细小开片，既有支烧，也有垫烧。既有盘、碗等小型陈设器，也有大中型的陈设器。这就是官窑瓷器，看起来确实精美绝伦，遗憾的是史书对官窑瓷器记述太少。

二、哥 窑

居五大名窑第二位的哥窑至今还是古瓷器发展史上的一大迷局（图 4-9）。目前仅见传世品，哥窑在哪里，我们尚不得知，典集记载与考古发掘对不上。最早见记述哥窑的典集是明宣德年间的《宣德鼎彝谱》："内府所藏柴、汝、官、哥、钧、定。"可见哥窑确为历史名窑，连宫廷都收藏。元末《至正直记》和明初曹昭的《格古要论》对哥窑和弟窑的记述仅仅是提到，并没有其他过多的记载。而比这晚得多的明嘉靖年间的文献《浙江通志》记载有"处州……山下即琉田，居民多以陶为业。相传旧有章生一、生二兄弟，……至琉田窑造青器，是曰哥窑，弟且生二窑……"嘉靖四十五年（1566）年刊刻的郎瑛《七修续稿》载"以兄故也，生二所陶者为龙泉，"以及明代高濂的《遵生八笺》、清蓝浦的《景德镇陶录》认为哥窑在杭州。以上诸多说法自相矛盾，怎能服人。因此，要想找到哥窑的窑址，还需要大规模的考古发掘工作和进一步的研究这一时期的古文献。传世的哥窑瓷器倒是不少，如上海博物馆、北京和台北的故宫博物院都有收藏，它的胎质和官窑差不多，黑灰、铁黑、紫黑色、棕黄色都有。"紫口铁足"，釉面有灰青、粉青、丹白、炒米黄、青黄、油青等诸色。且有一个重要的特点，即釉面满是开片，以开片为美，俗称"百及碎"（图4-10）。开片与开片相连，大小不一，《至正直纪》载"其色莹润为旧造"就是说新器看起来像是旧器。另外，从哥窑开片的这一特征，也可以看到宋代瓷业的繁荣。古瓷器开片本来是一个坏的现象，即缺陷，但宋代人连这个特征也不放过，将它发展为哥窑名瓷。这时的开片已不是烧造技术差的标志，而是成为宋代高超制瓷技术水平的代表。

图4-10　哥窑开片釉瓷器标本·宋代

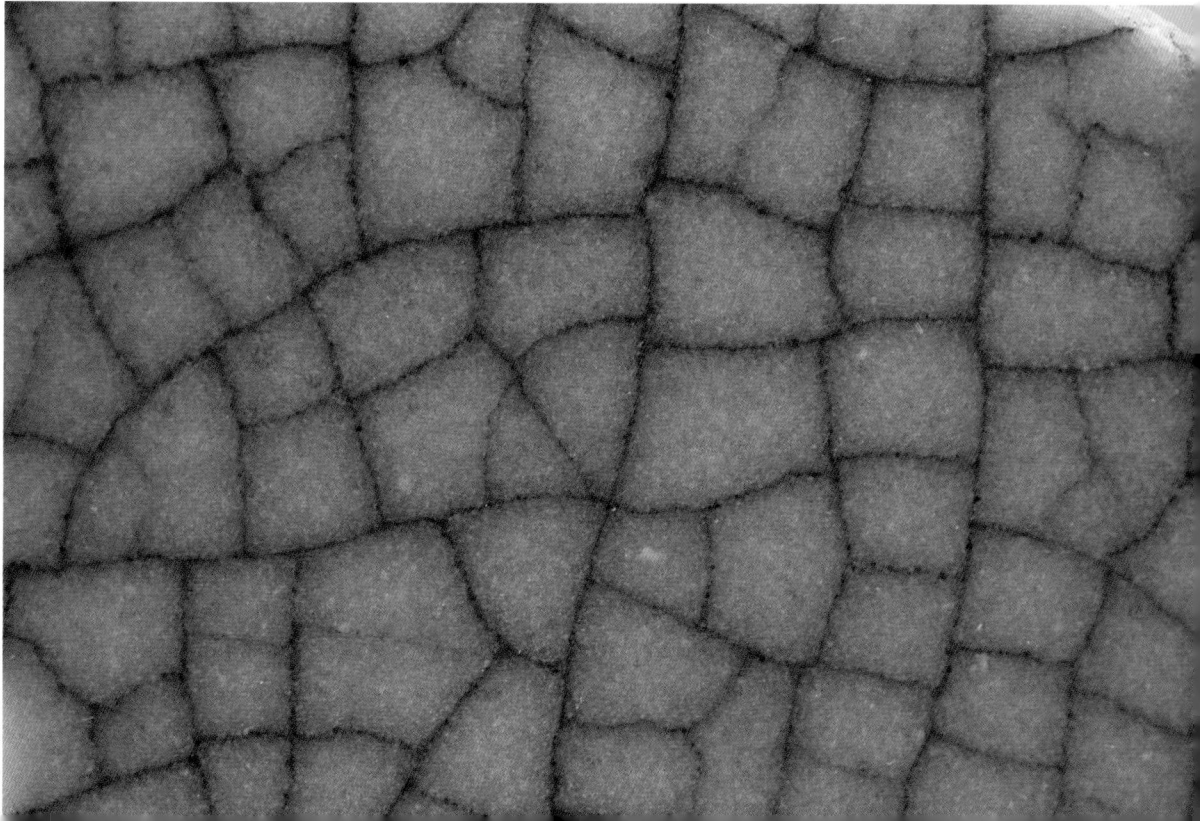

三、汝 窑

宋代顾文荐的《负暄杂录》载："本朝以定州白瓷器有芒不堪用，遂命汝州造青窑器。故河北唐、邓、耀州悉有之，汝窑为魁。"这是见于文献中有关汝窑最早的记录，南宋周辉在《清波杂志》中写到"汝窑宫中禁烧，内有玛瑙末为油。惟供御拣退，方许出卖"这些都是宋人对汝瓷的记录，可知汝窑在宋代已是名窑，曾为宫中烧造瓷器，在质量上居各窑之首（图 4-11）。宋代周密《武林旧事》中记载张俊向高宗皇帝"贡奉汝窑瓷器"16 件。可见汝窑瓷器在南宋已十分珍贵，用作礼物送给皇帝。汝窑的传世品很少，目前散落于世界各地，非常罕见。根据传世品和科学发掘品，总结汝窑瓷器的主要特点如下。

1. 从胎质上看

胎体较薄，"香灰"胎（图 4-12），胎质细腻。支烧，有支钉痕，但很小，像是芝麻一样，少为 3 个多则 5 个。多数器物通体施釉。做工细致之极。

图 4-11　汝窑瓷洗·当代仿宋

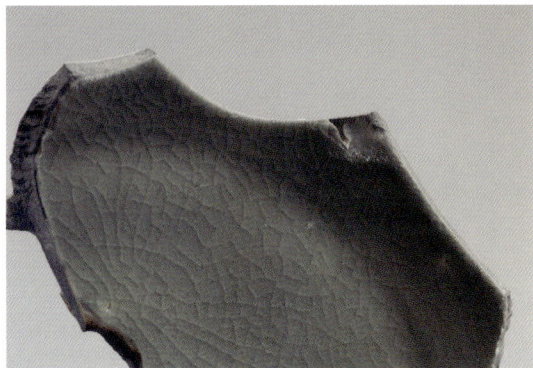

图 4-12　汝窑瓷器标本·宋代

图 4-13 汝窑瓷瓶·宋代

2. 从釉色上看

汝窑的釉色极为复杂，以天青为基调（图 4-13），有粉青、青中微带黄、月白、淡青、卵白等，看起来都有玻璃光泽和雨过天晴般的感觉，如梦境般。在釉色上达到了青瓷的釉色之最，几乎可以说是达到了完美，达到了青瓷釉色的巅峰。此后，再没有超过汝瓷釉色的器物。

四、定 窑

定窑是继邢窑衰落之后而兴起的又一大以生产白瓷为主的名窑（图 4-14），位居宋代五大名窑的第四位，唐、五代时期主要以烧制黄釉、绿釉瓷为主，兼烧白瓷，器物较厚实，胎色略灰，以碗、盘等生活用具为主。而至宋代则主要以烧制白瓷为主，同时兼烧绿瓷，被称为黑、紫、绿定。定窑的白瓷胎薄而轻，色洁白，俗称"象牙白"；近底处多见泪痕，聚釉处呈现黄色，釉面极少有开片。装饰有印花（图 4-15）、刻花、划花 3 种。另外有一点很奇怪，定窑白瓷属商业用瓷的窑场，并非官办，何以能够代替有"南青北白"之称的邢窑白瓷呢？邢窑何以衰落，定窑何以兴起的呢？让我们来讨论一下。

图 4-14 定窑白瓷碗·宋代

图 4-15 定窑花卉纹白瓷标本·宋代

首先，我们排除了官方强迫邢窑停烧和扶持定窑这一点。另外，在五代至宋代更替时，作为商业用瓷生产的邢窑或者是定窑所受的损失其实并不大。这样看来邢窑的衰落和定窑的兴起只能是另有原因。

邢窑的衰落与大唐的衰落有联系吗？回答是肯定的，从定窑的兴起也可以看到这一点。在唐、五代时定窑在邢窑白瓷巨大的阴影下，只能兼烧白瓷，用于维持重整生计。而一入北宋，定窑竟反了过来，主烧白瓷，兼烧其它，这说明了邢窑的衰落，定窑将市场"占领"了。但这种"占领"，是在邢窑衰落的基础上建立的，而并不是定窑攻取的，因为邢窑太强大了，它只能自行灭亡，而不会是一个小小的定窑去把它挤出市场。那么其根本的原因就是由于大唐的衰落，当然这里的衰落指的不完全是朝代的更替，而是封建社会从最高峰唐代坠落下来，接着就是文化的失落，唐朝文化曾经灿烂辉煌，哲学、宗教、文学、艺术、儒学和史学，以及科学技术和对外交流全面发展，使民财极富，相反物价还特别低。正如杜甫的《忆昔》诗所述："忆昔开元全盛日，小邑犹藏万家室。稻米流脂粟米白，公私仓廪俱丰实。九州道路无豺虎，远行不劳吉日出。齐纨鲁缟车班班，男耕女桑不相失。"可见唐代的繁荣，物价也越来越低。以此推断邢窑白瓷必是以高质量的产品，极低的价格而通销天下。而至宋代就不行了，宋代从疆域、民财、各方面唐代都无法相比，在此形势之下，邢窑白瓷就失去了它赖以生存的环境，人们由于生活贫困，不再要求邢窑生产"白如雪"的产品，而只是要求价廉。这时在唐代也有些白瓷烧造经验的定窑就应运而生了（图4-16），开创了宋代白瓷的先河。

图 4-16　瓜棱形白瓷罐·宋代

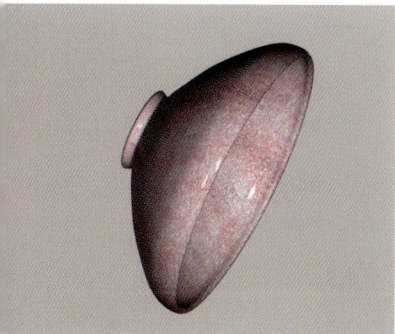

图 4-17 略厚胎钧红釉碗（三维复原图）·宋代

图 4-18 轻微残缺的钧瓷碗·宋代

图 4-19 钧瓷碗（三维复原图）·宋代

五、钧 窑

钧窑虽居宋代五大名窑之末，但其影响十分深远。钧窑以河南禹县为中心，窑址遍及周边各地。到目前为止，已发现 100 余处窑址，为北方地区较发达的重要产瓷区之一。钧窑的釉色是宋代瓷器发展史上的一个创造与突破，青中带红，灿如红霞（图 4-17）。钧窑的这一色调，受到老百姓欢迎，延续的时间很长（图 4-18），分布较广，不仅覆盖了整个北方地区，连浙江金华，也烧制了钧瓷。足以见其影响之大，特别是在河南新安县一带发现的窑址有 100 多处（图 4-19），这说明钧窑的烧制有以禹县为中心向西移的倾向。因为，新安县离洛阳最近，其产品可直销洛阳，又是通往西部的必经之路（图 4-20）。离它最近的大城市是三门峡市，当时的古陕州城，再往西就是西安了。可见在新安县发现钧窑的集中地也并不奇怪，其产品可以通过陕州直销西安，甚至再通过古丝绸之路销往国外。另外，还有一条路就是可以利用三门峡黄河水运到山西销售，或是沿黄河西上至陕西。由此可见，陕州城由于地处豫、陕、晋三省的交汇地，水陆交通发达，很有可能是当时钧窑瓷器的集散地。因为今天三门峡市区很容易就能看到钧瓷标本，可见古陕州城在宋代钧窑交易的繁荣（图 4-21）。总之，钧窑的影响十分深远。

图 4-20 天蓝釉钧瓷碗·宋代

图 4-21 精细胎钧红釉瓷器标本·宋代

六、元代瓷器

元代景德镇烧制出了成熟的青花瓷（图 4-22）。青花瓷的烧制成功是中国古瓷器进入鼎盛期的再次体现。青花瓷的烧制成功是中国人的又一大创举。从此，青花瓷以其独有的魅力占据瓷器市场的主流地位，至明代永宣时期，青花瓷的烧造达到了顶峰，之后继续烧造，直至清代才转向衰落。青花瓷将中国古瓷器推向了制瓷业的巅峰，特别是在明清时期，青花瓷基本上成了瓷器的代言人。而其他诸如青、白、黑等在历史上兴盛一时的瓷器品种显得黯然失色。其他各品种的瓷器在制瓷技术、人才等方面由于长时间没有发展，许多技术失传了，故青花瓷的衰落也就意味着整个中国古瓷器业的衰落。

青花瓷，白地蓝花，清丽雅致（图 4-23），最早出现在唐代，在扬州等地发现过唐代青花瓷标本，但唐代的青花瓷标本还有些略显黄色。唐代巩县窑生产唐三彩，青花瓷用的钴料和唐三彩本质是一致的，巩县窑完全有能力烧制成熟的青花瓷。巩县窑生产的青花瓷应该是一种外销瓷，因为唐三彩是一种明器，想必青花瓷唐人是不会拿来日用的。而当时的唐代是国际交流的中心，外国人很喜欢这种白地蓝花的瓷器，也没有此种观念，所以，今天才会在扬州发现不少的唐代青花瓷标本。因为，扬州在唐代是一个大港口，聚积着各国商人。可能是因为唐三彩与青花瓷的特殊关系，在巩县窑衰落后，青花瓷就很少出现了。经过了漫长的岁月后，至元代，青花瓷又一次烧制成功，但是，主要还是用于外销，一是中东地区有着使用青花瓷的传统；二是随着元帝国疆域的不断扩大，亚欧大帝国的建立，各国商人到元朝来经商更加通行无阻，于是他们将青花瓷远销至各国。而成熟青花瓷的烧制成功是很晚的事情了，直到元至正时期才烧制成功（图 4-24）。

图 4-22　残缺青花瓷进口料标本·元代

图 4-23　精美绝伦的青花瓷标本·元代

图 4-24　进口青料〝苏麻漓青〞标本·元代

图 4-25 高岭土白瓷胎体·宋代

第二节 宋元瓷器鉴定

一、胎质鉴定

1. 从选料上鉴定

（1）高岭土料：宋元瓷器多以高岭土料为主（图 4-25），不过宋元瓷器中细白胎的数量急剧减少，这主要与宋元瓷器过于浓重的商业性质，民窑极为讲究成本有关。但同时出现了另外一个极端，那就是官窑瓷器，如汝窑、官窑等，不计工本（图 4-26），所有瓷器均使用精细高岭土料。

（2）黏土料：宋元时期黏土胎烧造的瓷器，成分比较复杂，如细泥、粗泥、夹砂、夹云母料、夹蚌料等都有（图 4-27），同样分为精致、普通、粗糙 3 种。精致者选料较优，几无杂质；普通者杂质较多；粗糙者选料随意，不过这显然不是主流。

图 4-26 汝窑瓷器标本·宋代

图 4-27 黏土料白釉画花瓷器横截面标本·宋代

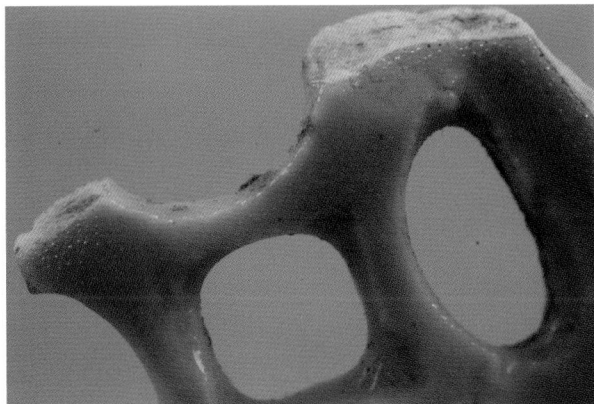

图 4-28　白胎青白瓷窗饰·宋代

图 4-29　"香灰胎"类汝似钧釉瓷器标本·宋代

2.从淘洗上鉴定

（1）精炼程度：宋元瓷器胎料淘洗较为细腻（图 4-28），但与唐代相比有下滑趋势。这种趋势在宋代表现得还不是太明显，到了元代表现得异常明显。不过官窑瓷器一直淘洗精炼。但官窑瓷器从数量上来看几乎就是一个完美品的象征，并不是人们真正的生活用瓷。

（2）淘洗与胎色：宋元瓷器淘洗的精炼程度不同与胎色有着较为紧密的联系，这一点是显而易见的。精细胎的瓷器通常在胎色上比较纯正（图 4-29），几乎不会见到偏色现象；而普通的胎体在胎色上则会偏色。从窑口上看，这种关系也是相当密切，如香灰胎的汝窑瓷器在淘洗上都是无可挑剔。

（3）原料与淘洗：宋元瓷器原料与淘洗的关系也极为密切。通常情况下优质高岭土料在淘洗上精炼，反之则亦然（图 4-30），是一种正比关系。

图 4-30 黏土胎类汝似钧釉瓷器标本·宋代

图 4-31 较细胎白瓷标本·宋代

3. 从较细胎上鉴定

除了官、汝窑的瓷器之外，在宋元瓷器中真正细胎者不常见，多以较细胎为主（图 4-31）。从数量上看，较细胎的宋元瓷器最为常见，是主流。从时代上看，较细胎贯穿于宋元时期的始终。宋代为主流，元代次之。从色彩上看，宋元瓷器较细胎是以白色和橙色为主，其他色彩有见。从精致程度上看，以精致、普通的瓷器为主，粗糙者少见。

4. 从较粗胎上鉴定

宋元时期较粗胎的瓷器虽不是主流，但也常见（图 4-32）。并不是整体的串色，只是略微的。另外，宋元瓷器的较粗胎只属于宋元时期，与其他时代并没有相互类比的可能。

图 4-32 略粗胎类汝釉瓷器标本·宋代

5. 从厚薄程度上鉴定

宋代瓷器在胎体厚重程度上特征异常鲜明，一改唐代时期厚重之风，胎体向轻薄发展（图4-33）。北宋初期已成定式，如定窑瓷器。而到了元代，经济不堪，人民困苦，瓷器在品质上受到重创，其中一个表现就是人们不敢冒险将胎体制作得很薄，以承担变形等风险，而是胎体变厚，烧一个成一个，就这样，元代瓷器胎体变得较厚。

6. 从胎釉结合上鉴定

宋元瓷器胎釉结合状况良好（图4-34），从技术上看，这是由于宋元瓷器基本上都施加化妆土，保证了胎釉结合的紧密性；再加之高温烧造，使得宋元瓷器在胎釉结合上达到了较高水平。

7. 从黑粒上鉴定

宋元瓷器胎体黑粒依然有见，这与宋元瓷器民用瓷的特点相吻合。宋元瓷器黑粒多呈现出颗粒状，其他形状也有见。从精致程度上看，精致瓷器胎体上的黑粒微弱，如汝窑瓷器之上几乎找不到；而普通和粗糙的瓷器则常见。

图4-33 白瓷碟·宋代

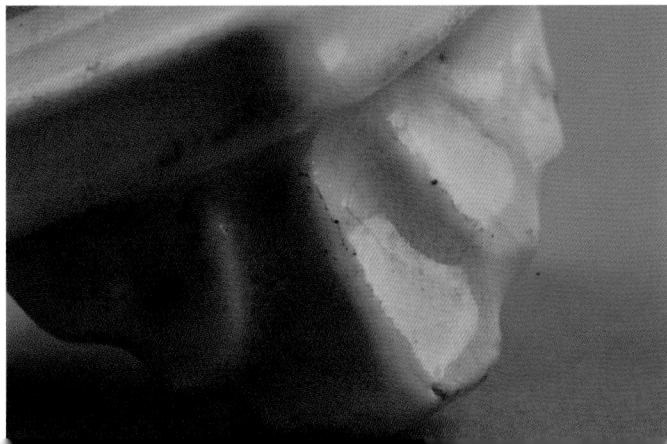

图4-34 景德镇窑胎釉结合良好的花形支足·宋代

8. 从露胎上鉴定

宋元瓷器露胎的情况比较常见，但显然从程度上比前代要好得多，多是近足部露胎，或底足露胎。

9. 从变形上鉴定

宋元瓷器胎体变形的情况并不多见。瓷器变形的原因很容易理解，就是胎体厚薄不均、烧造温度具有差异等因素造成。从时代上看，以宋代为显著特征；元代也有见，但数量要比宋代少得多。原因很简单，因为宋代瓷器的胎体比较薄，所以如果稍微不注意就会出现变形的情况。

10. 从温度上鉴定

宋元瓷器烧造温度很高，所以，一般情况下瓷化程度相当好（图4-35），胎体完全烧结。从精致程度上看，精细胎很少见有温度问题，主要存在于粗胎之上。如胎体疏松者很多情况下温度不够。

11. 从硬度上鉴定

宋元瓷器胎体硬度比较大，胎体坚硬、瓷化程度高（图4-36），名窑瓷器更是这样。从精致程度上看，宋元瓷器在精致和普通瓷器上表现不是太明显，在粗糙瓷器上表现明显，如胎体疏松等问题。

12. 从致密上鉴定

宋元瓷器胎体致密，疏松者偶见，这与其淘洗、烧造温度、烧造态度等各个方面都比较认真有关（图4-37）。

图 4-35　精美绝伦的兔毫釉盏·宋代

图 4-36　纯黑釉瓷瓶·宋代

图 4-37 胎质致密青瓷弦纹标本·宋代

图 4-38 "内外皆美"的钧红釉瓷器标本·宋代

二、缺陷鉴定

1. 从粘连上鉴定

宋元瓷器粘连这一窑内缺陷的成分比较大，但粘连的情况通常比较微弱，部位多在底足处，具有偶发性的特征。鉴定时要注意分辨。

2. 从破碎上鉴定

宋元瓷器在品相特征上同样是具有偶发性（图 4-38），这主要与其保存环境有关。以窑址和城址之上破碎瓷器为多见。从破碎的程度来看，多数比较严重，能复原者十之有一。从精致程度上看，精致、普通、粗糙者都有见，这与其偶见性的特征有着密切的关联。

图4-39　有口磕的白瓷碗·宋代

图4-40　有足磕的龙泉窑青瓷碗·宋代

3. 从破洞上鉴定

宋元瓷器中破洞者几乎不见，即使有也是由人工特别的工具造成，因为宋元瓷器胎体致密、坚硬、瓷化程度高，不可能像陶器那样产生破洞而不破碎。我们在鉴定时应注意分辨。

4. 从裂缝上鉴定

宋元瓷器有裂缝者偶见，基本上以轻微裂缝为主。从时代上看，各个历史时期都有见，这应该与其偶见的特征具有明显的关联。

5. 从口磕上鉴定

口磕是一种人为的非窑内缺陷，在宋元民窑瓷器中常见（图4-39），但在官窑瓷器之上几乎不见。如果是新形成的口磕会有新茬口，与在宋元时期使用时留下的口磕有明显区别，主要是还未钝化，十分锋利。

6. 从足磕上鉴定

足磕在宋元瓷器中有见，但在官窑瓷器当中很少见。这是由于官窑瓷器在使用时比较小心。足磕的部位多在底足部。从程度上看，宋元瓷器足磕的程度并不严重（图4-40），多数以轻微为显著特征，如足部磕碰掉一个小坑，或者一小片等。

三、釉色鉴定

1. 从白釉上鉴定

（1）从象牙白釉上鉴定：象牙白釉色顾名思义就是如同象牙般的白色，这几乎为宋代所独有（图 4-41）。唐五代时期有见，但色彩不是很成熟；元代也不是很常见。以著名的定窑烧造为主，为定窑瓷器的象征。元代定窑系继续烧造，但在质量上略有下降。光泽淡雅（图 4-42），但也绝不黯淡，油性光泽较强，通体闪烁着非金属的淡雅光泽。

（2）从乳浊白釉上鉴定：乳浊白釉在宋元时期继续流行，但没有唐代那样的惟妙惟肖，显然只是宋元瓷器众多白釉色彩中的一种，占不到主流地位。在光泽上，宋元乳浊釉瓷器看起来并不刺眼，而是柔和、细腻。

（3）从鸡骨白釉上鉴定：鸡骨白的釉色概念十分清晰，就像是鸡骨一样的白色，这在宋元瓷器中时常有见，但数量不是很多，以宋代较为多见（图 4-43）。在窑口上，定窑系基本都有烧造，光泽淡雅、柔和，使人浮想联翩（图 4-44）。

图 4-41 象牙白釉白瓷碗·宋代

图 4-42 象牙白釉瓷碗·宋代

图 4-43 光泽淡雅的鸡骨白釉瓷碟·宋代

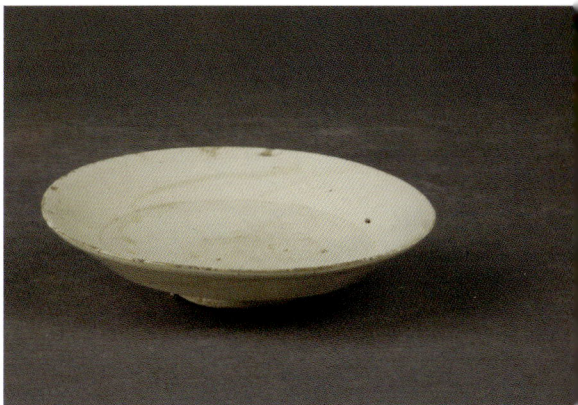

图 4-44 鸡骨白釉瓷碟·宋代

（4）从白釉泛灰上鉴定：宋元瓷器中白釉泛灰的色彩是一种较为严重的偏色，应是一种窑内缺陷。从数量上看，在宋元白瓷中有一定的量，宋代表现较为轻微，元代表现较为严重。从窑口上看，特征不是很明确。定窑系窑场基本都有烧造，是当时人们使用的主要白瓷产品，光泽略黯淡，有一定的油性光泽，主要存在于普通和粗糙的瓷器当中。

（5）从黄白釉上鉴定：宋元瓷器中的黄白釉色显然为复色的一种，黄白两色完美地交融在一起，彼此不能分离，显然已经形成了一种独立的色彩，但判断的标准依然为视觉，体现了宋元瓷器在釉色上多元化尝试的过程。宋元黄白釉瓷器时常有见，在总量上有一定的量，光泽以淡雅、柔和为显著特征，"通销全国"，无论上流社会还是市井之上都有使用。

2. 从青白釉上鉴定

青色与白色的融合，这一色彩在隋、唐、五代时期就较为常见，但呈色不稳定。到宋代由景德镇烧制成熟（图4-45），成为一种独立的色彩，是宋元瓷器的主色调，跨越宋元两代，元代比例要大一些。青白釉瓷器以素雅著称，淡雅柔和、油性浓郁，通体闪烁着非金属的光泽。从精致程度上看，精致、普通、粗糙者都有见。相比而言，宋代精致瓷器比较多。在流行程度上，"通销全国"，无论贵贱通用之。

图4-45 青白瓷执壶·宋代

3.从天青釉上鉴定

汝瓷中天青釉最为常见（图4-46）。关于这一点我们来看一则
宝丰清凉寺汝窑遗址的考古发掘资料，"窑炉共7座，……Y5是保
存最好的一座。……火膛内出土遗物丰富，天青釉汝瓷占99%以上"
（河南省文物考古研究所等，2001）。欧阳修在其《归田集》中有：
"谁见柴窑色，天青雨过时。"汝窑瓷器釉色是以天青为魁，汝窑
对各种天青釉色进行了模仿，其中"雨过天晴云破处"的色彩最令
人们留恋。汝窑是中国古代瓷器史上的一朵奇葩，烧造出了令人如
痴如醉的天青釉色，将青瓷器的烧造从技术和态度上延伸至尽头。

图4-46 天青釉汝窑温碗·当代仿宋

4. 从类汝釉上鉴定

类汝釉色是一个集合的色彩，主要是同时期汝窑周边的窑场仿烧的结果（图 4-47）。首先我们来看同时期模仿的青釉：

（1）天青釉：天青釉是类汝釉瓷器首要追求的色彩，有很多非常的成功，但多显民窑瓷器自由之气息，其实并不得汝窑之意境。在色彩上，飘忽不定，琢磨不定，变化莫测，将人们的视线引入到了浩瀚的深空，实际上是对于汝窑天青釉色彩的深入和继续探索。宋、金、元时都有见。

（2）灰青釉：灰青色釉有见，串联和偏色现象较少，以宋代为显著特征，金、元时期有见。在光泽上，凝重、淡雅、温润。

（3）淡青釉：类汝釉瓷器中淡青釉常见，色彩纯正，偏色少见，主要以宋代为显著特征，金、元时期有见，但在烧造上明显下降。

（4）青绿釉：青绿釉的类汝釉瓷器有见，但数量不是很多，不占主流。青绿釉瓷器青色与绿色完美结合，形成了一种独立的色彩，以宋代为多见，光泽鲜亮，淡雅，温润。精致、普通、粗糙者都有见，以普通和粗糙的瓷器为显著特征。

（5）豆青釉：类汝釉中豆青釉的瓷器有见，有一定的量，色彩纯净，稳定，以宋代为常见，其他历史时期略有见，光泽鲜亮。

图 4-47 "类汝似钧"的瓷器标本·宋代

图 4-48 天蓝釉钧瓷标本·宋代

图 4-49 月白釉类汝似钧瓷器标本·宋代

5. 从天蓝釉上鉴定

天蓝釉为钧瓷数量之首，贯穿于钧瓷的始终（图 4-48）。宋代最为常见，金元时期略逊，以犹如蔚蓝的天空一样的蓝色为其追求目标，色彩虽浓淡深浅不一，但非常稳定，由此印证"钧瓷无双"之说。色彩浓淡程度可以划分为浓深、较浅、浅淡 3 个阶段。光泽润泽、鲜亮、乳光釉，明暗对比强烈，色泽鲜丽，沉静淡雅。无论精致、普通、粗糙的瓷器都有见。

6. 从月白釉上鉴定

月白釉的钧瓷在数量上十分丰富。宋代异常发达（图 4-49），宫廷中亦有使用，精美绝伦，几无瑕疵。金、元略有退步。色调浓深，较浅，浅淡有见。油脂光泽浓郁、润滑、滋润，就像是肥厚脂肉一样，精致、普通和粗糙的瓷器上都有见。

7. 从钧瓷青釉上鉴定

（1）从灰青釉上鉴定：灰青釉的钧瓷经常可以看到，基本上各个时代都有见（图 4-50），是一种典型的复色，就是指灰色与青色的融合。这种效果非常成功，色彩稳定，通透性差，几无透感。在色彩上同样可以分出浓深、较浅、浅淡等色调，属于非金属光泽，黏度大，不易流动。光泽润泽、淡雅、油性光泽感比较强烈，沉静典雅之气油然而生，巧夺天工。

图 4-50 精美绝伦的青瓷盏·宋代

（2）从淡青釉上鉴定：淡青釉的钧瓷在数量上比较多见（图4-51），元代最为常见，其他时代在数量上略逊。从色调上看，淡青釉在色调上比较多变，浓淡程度深浅不一，通常情况下其在色调上也能分为浓深、较浅、浅淡3种。

（3）从乳光釉上鉴定：在光线的照射下反光较为弱化，整个釉面淡雅、柔和，效果上比淡青釉的瓷器在光泽程度上要淡雅一些，在均匀程度上多了一些光线的不同反射点，凸凹不平，但巧夺天工，以普通瓷器为主。

（4）从梅子青上鉴定：梅子青釉的钧瓷时常有见，墓葬和遗址中都有见。基本上各个历史时期都有见，以金元时期为主。色泽鲜丽，如同新鲜梅子的色彩（图4-52）。石灰碱釉，深浅浓淡层次不一，失透感增强。光泽致美之极，细节变化多端，明暗分明，在正常的光线下梅子青釉发出耀眼的光芒。从精致瓷器上看，无疑以宋代为最多，金代数量开始减少，元代数量最少。

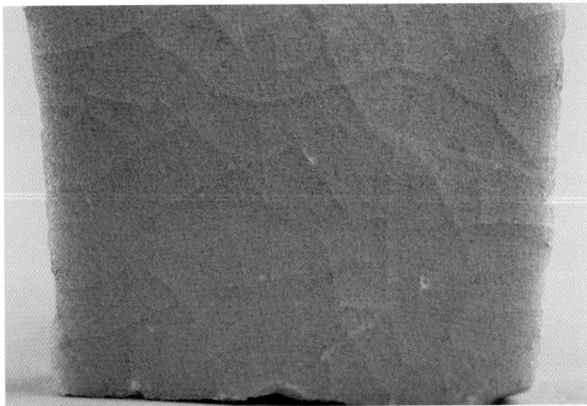

图4-51 淡青釉青瓷·宋代

图4-52 龙泉窑梅子青碗·宋代

图 4—53 青色泛蓝釉钧瓷标本·宋代

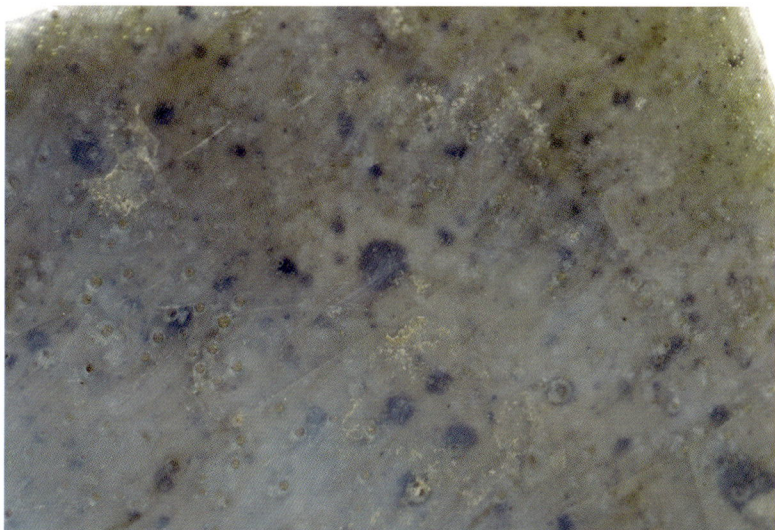

图 4—54 青色泛蓝釉钧瓷标本·宋代

（5）从青色泛蓝釉上鉴定：青色泛蓝釉的钧瓷时常有见（图4-53），墓葬和遗址之中常有出土，在时代特征上以元代最为多见，宋金时期反而并不多。青色泛蓝釉的钧瓷与普通青釉瓷器之上的青色泛蓝釉存在本质不同。钧瓷青色泛蓝釉没有透感，而有乳光釉质感，色彩处在不断地变化之中，突然停滞感强烈。具有非金属光泽、油性光泽，润滑与细腻，明暗效果根据受光程度的不同而变化，无刺眼感，沉静、柔和（图4-54）。主要以粗糙瓷器为主，普通瓷器居于次要地位，精致器皿最少。

（6）从铁锈色窑变釉上鉴定：铁锈色窑变釉的钧瓷比较常见，各个时代都有见，多是在口部存在，口沿部分很明显地有一周铁锈色窑变釉，其他部位出现铁锈色窑变釉的情况很少见。铁锈色由内向外而发，特别的均匀，不会超过一定范畴。由此可见，铁锈色窑变釉显然是可以控制的。光泽属非金属的光泽，油性感上强烈，均匀、柔和、沉静、淡雅，沉静而又典雅。铁锈色窑变釉的钧瓷在宋代很少见，金代逐渐增加，元代在数量上进一步增加，呈递增趋势。

8. 从兔毫釉上鉴定

兔毫釉为黑瓷窑变的一种，犹如兔子毫毛一样釉面呈放射状地向外衍射，形成兔毫斑纹，自上而下自然而然（图 4-55），巧夺天工，精美绝伦。常制作成盏供人们饮茶，蔚为壮观的宋代斗茶文化中使用的盏大多是兔毫盏。俊美之极，使人犹入幻境。以建窑产的最为精美。

9. 从油滴釉上鉴定

油滴釉亦为黑瓷窑变的一种，利用高温炉火下釉层的流动，巧夺天工而成。在釉面上形成不规则的小斑点，大小不一，分布在均与不均之间，酷似油滴的效果（图 4-56），美不胜收，为宋元名瓷的一种，多制作茶盏，建窑和吉州窑多有烧造。

图 4-55 侈口兔毫釉盏·宋代

图 4-56 油滴釉瓷碗·宋代

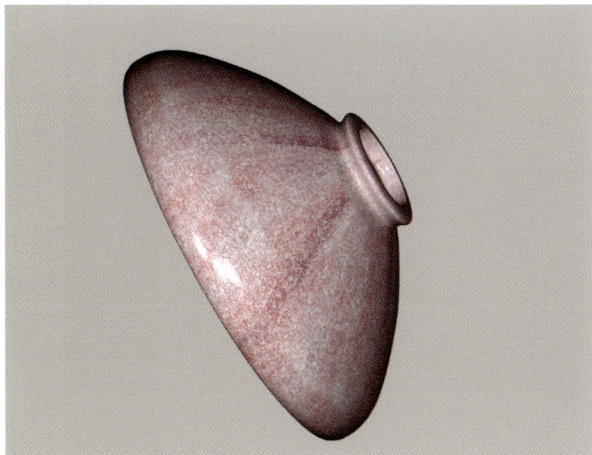

图 4-57 玫瑰紫釉碗（三维复原图）·宋代

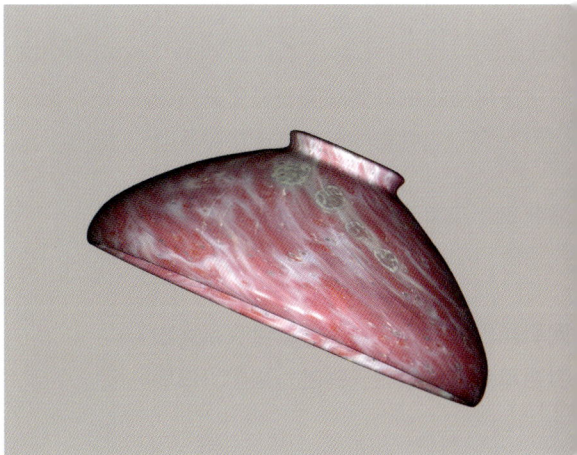

图 4-58 釉质鲜嫩海棠红釉瓷碗（三维复原图）·宋代

10. 从钧瓷红釉上鉴定

（1）从玫瑰紫上鉴定：玫瑰紫的钧瓷经常可以看到，在墓葬和遗址上都有见，为钧红中最重要的色彩之一，基本上各个时代都有见，宋代较为丰富（图 4-57）。在高温还原的气氛中烧制而成的斑块，有大有小，形状无拘，自然洒脱，一些宛如天空中的彩霞，犹如玫瑰之花片，自然成趣，赏心悦目。色彩红中有紫、紫中有红，紫红中又有蓝、褐等色，互为补色，窑变气氛浓重，这种变化在某一瞬间变成永恒。玫瑰紫在浓淡深浅不一上的变化有浓深、较浅、浅淡之分。非金属光泽，油光感比较强烈，绚丽的色彩更加鲜嫩，给人以强烈的刺激。有着一种基于现实生活又超越现实的意境。

（2）从海棠红上鉴定：海棠红的钧瓷经常可以看到，顾名思义就是呈现出像海棠一样的红色釉（图 4-58）。显然，海棠红是釉内铜的还原色彩，在高温还原的气氛中烧制而成。总量不如玫瑰紫丰富，宋代较为多见，金代也有见，元代数量逐渐减少。钧瓷的海棠红多以斑块状存在，大小不一，无拘无束，有的像树叶，有的宛如彩带，窑变色彩相互复合，相互补色。在色彩浓淡程度上有，浓深、较浅、浅淡之分，浓深者沉静典雅，鲜丽；较浅海棠红淡雅，柔和；浅淡海棠红稳定性较好，极具独立性。钧瓷海棠红将我们带入一种境界，陶冶情操，触动情怀，感悟人生之美。

图 4-60　柿红釉钧瓷标本·宋代

（3）从紫红釉上鉴定：紫红色的交融，在高温还原的气氛中烧制而成。紫红釉的钧瓷基本上各个时代都有见，以斑块的状态存在，绚丽多彩，窑变的气氛浓重，变化多端，但显然又是可控的。浓淡程度可以分为浓深、较浅、浅淡 3 种，可见细微的变化是连绵不断。光泽淡雅，明暗分明。紫红釉的钧瓷精致、普通、粗糙者都有见。

（4）从柿红釉上鉴定：柿红釉的钧瓷经常可以看到，各个时代都有见，本质是一种高温还原铜红釉，红釉与蓝釉以最完美的方式交融（图 4-59）。其色彩使人联想到红彤彤的柿子。从斑块特征上看，形状不一，宛如彩虹，犹如树叶（图 4-60），赏心悦目。柿红釉显然存在着基本色调变化，如浓深、较浅、浅淡等变化。非金属光泽，淡雅、沉静。柿红釉的钧瓷在精致程度上精致、普通、粗糙者都有见。

图 4-59　柿红釉钧瓷标本·宋代

图 4-61　暗红钧瓷标本·宋代

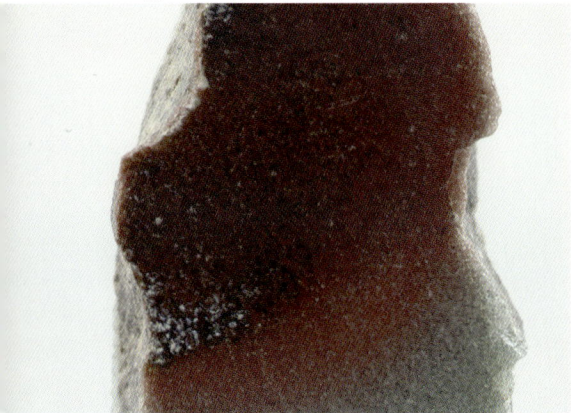

（5）从暗红釉上鉴定：暗红釉的钧瓷常见，总量比较丰富（图4-61）。各个时代都有见，比例均衡。在色彩上，暗红釉如同残阳，给人以庄重之美。釉色在浓淡程度上变化强烈，不同时代、不同窑口、不同器物、同一器物之上都存在着浓淡深浅不一的变化。光泽淡雅，显属非金属光泽的范畴。

（6）从胭脂红釉上鉴定：胭脂红釉的钧瓷有见，总量有限，各个历史时期都有见（图4-62）。本质是一种高温还原铜红釉，较为稳定，色斑在形状和大小上不一，无拘无束，自由自在。钧瓷并未模仿胭脂红，胭脂红只是对这类近似色彩的称谓，色彩十分善变，浓淡程度有浓深、较浅、浅淡之分，光泽黯淡，色彩明暗程度对比强烈。胭脂红釉的钧瓷在精致程度上精致、普通、粗糙者都有见，精致瓷器多以宋代为主，金元时期比较少见，普通瓷器各个历史时期都有见。

（7）从葡萄紫上鉴定：葡萄紫的钧瓷经常可以看到，总量不大，各个时代都有见。存在状态通常是以斑块为主，形状大小不一，非常耀眼，自然成趣（图4-63）。葡萄紫的钧瓷在色彩上达到了纯美的状态，蓝中有紫，青中有紫，窑变的气氛浓重，而且葡萄紫的色彩又是可控的。从光泽上看，无论浓深还是浅淡或者是哪一种色调所表现出的都是油脂感比较强，明暗分明。精致、普通、粗糙者都有见，比例均衡。

图 4-62　胭脂红钧瓷标本·宋代

图 4-63　葡萄紫釉钧瓷标本·元代

四、釉质鉴定

1. 从薄釉上鉴定

宋代瓷器以薄釉为显著特征，这一分界线，随着定窑胎体变薄的同时釉质也开始变薄，在烧造方法上进行了重大变革，从而有效降低了成本（图4-64）；元代基本上也是这样。当然这只是主流，有一些别出心裁的窑场，如钧窑瓷器显然就是以厚釉为主，但这种一反常态，也正是为了照应当时普遍以薄釉为主瓷器釉质，而并不是主流。这一点我们在鉴定时应能反转。

2. 从稀稠上鉴定

多数宋元瓷器以稀釉为显著特征（图4-65），除了个别如钧窑等之外，这一点十分明确。但在技术上十分成熟，许多釉层稀薄的瓷器精美绝伦，犹如艺术品。釉质稀薄和稠密与精致程度关系并不密切，从实践中可以观测到精致、普通、粗糙的瓷器都有见。

3. 从开片上鉴定

宋元瓷器开片时常有见，各种各样的开片（图4-66），如大开片、长条形开片、细开片、稀疏开片、细碎开片，开片深入釉内较深、较浅者都有见，比较丰富，显然是无规律的，没有受到约束。但开片显然又是可控的，如汝窑瓷器开片就是以蟹爪纹等为显著特征。

图 4-64 薄釉白瓷碗·宋代

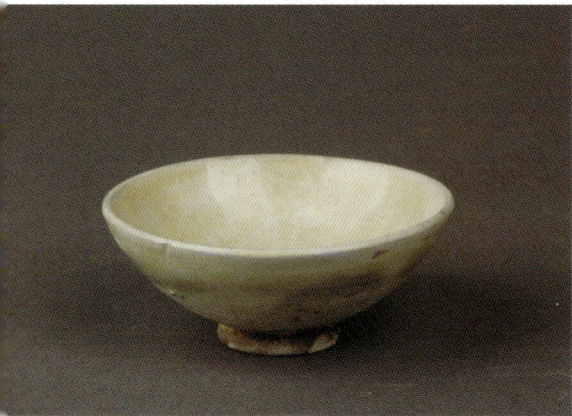

图 4-66 哥窑开片釉瓷碗（三维复原图）·宋代

图 4-65　稀薄釉青瓷标本·宋代

4. 从均匀上鉴定

宋元瓷器釉层均匀程度比较好，以釉质均匀为主（图 4-67），如耀州窑系、定窑系、磁州窑系等，在釉层上都是十分均匀，更不用说官窑和汝窑了。当然也还存在着另外一种情况，就是在釉层上不均匀，如钧窑瓷器窑变釉就是以不均为美；建窑兔毫釉也有这个特征。鉴定时应注意分辨。

图 4-67　精美绝伦的青瓷碗·宋代

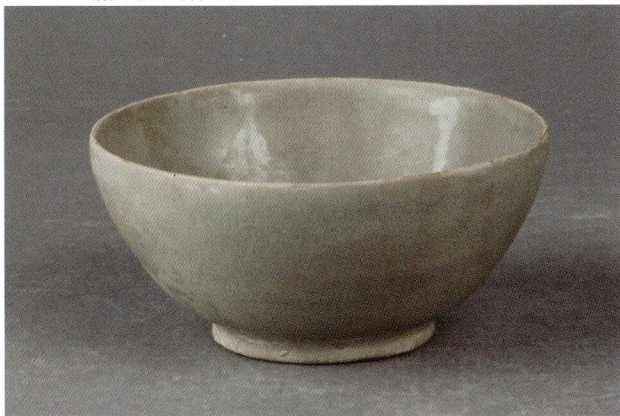

5. 从流釉上鉴定

宋元瓷器釉面流釉控制的比较好，在流釉部位上看也多集中到了底足部，但一些以流釉为美的窑变釉除外。如钧瓷之上常常会有大流釉痕，自上而下的流动（图4-68）。另外，精致、普通、粗糙瓷器在流釉上显然以粗糙瓷器为主，普通和精致瓷器为辅，呈反比的关系。

6. 从杂质上鉴定

宋元瓷器釉面杂质整体表现比较好（图4-69），但对于普通和粗糙瓷器而言，元代瓷器整体与宋代有距离。从窑口上看，官窑瓷器杂质基本避免，起码视觉观察不到；而民窑场则是比较复杂，控制杂质的程度参差不齐。

图4-68　流釉明显的钧瓷标本·宋代

图4-69　精致的青瓷盏·宋代

图 4-70 明显施加化妆土的珍珠地划花瓷枕·宋代

图 4-71 手感轻盈的定窑白瓷碟·宋代

7. 从化妆土上鉴定

宋元瓷器化妆土技术相当成熟，基本都施化妆土（图 4-70）。通体施加化妆土的情况增加，与底足未施加化妆土者基本持平。化妆土以白色居多，细腻、光滑，在窑口和精致程度上没有过于规律性的特征。

8. 从手感上鉴定

宋元瓷器手感以细腻为主，轻盈与厚重并存。细腻指的是釉质，而轻盈和厚重指的是重量。如定窑的碟、碗、盘等手感均是相当的轻盈（图 4-71），就像无物一样；但另外一极是厚重，如钧瓷手感就是厚重。

五、施釉部位鉴定

1. 通体施釉

宋元瓷器通体施釉者（图
4-72），以官窑瓷器为主，民窑瓷
器当中还是很少见。如汝窑和官窑
瓷器基本都是施全釉，这与避免刮
擦宫廷内名贵的红木家具有关，而民
窑显然没有必要这样做。

图 4-73 酱釉瓷碗·宋代

2. 局部施釉

宋元瓷器以局部施釉为主要特征，如施釉不及底、施半釉、施
釉仅至下腹部、施釉仅至近足处等都有见。但"施半釉"之风尚显
然已经过去。主要是器内施釉和器表施釉的情况比较复杂。器内施
釉的关键，显然是以实用为区分标准，民窑产品通常只有在实用需
要的情况下，才会器内、器外均施釉。从器表施釉上看，宋元瓷器
以施釉至近足部为显著特征（图 4-73）。

图 4-72 通体施釉的汝窑瓷瓶·当代仿宋

六、造型鉴定

1. 从口部上鉴定

宋元瓷器中敞口、侈口、花口、大口、小口、直口、撇口、盘口、喇叭口、子母口、敛口等各种口部特征都有见，可见在口部特征上的确是比较丰富。不过，我们也可以看到这些口部特征多为传统的延续，真正创新的情况很少见。这一点，我们在鉴定时应能理解。宋元瓷器并非没有创造力，而只是口部特征是古代瓷器实用功能的基本特征，在前代很多口部造型都已达较合理状态，很难再有大的突破。但宋元瓷器在口部特征上还是有了一些创新性的突破，如"芒口"的发明（图 4-74）。就是器口部无釉，这是一种缺陷，但定窑却将这种缺陷发展成为一种美，在口有芒处镶嵌金、银、铜等，更加华丽。不过，定窑的这种一反常态，虽然博得了消费者的喝彩，但并未获得同行的认可。在宋代模仿定窑烧造的窑系中几乎没有。

2. 从唇部上鉴定

宋元瓷器唇部造型常见圆唇、尖唇、尖圆唇、较薄唇、薄唇、撇唇等（图 4-75），可见宋元瓷器在唇部造型上比较普通。从厚薄上看，以薄唇为显著特征，较薄唇的造型也常见，厚唇的造型急剧减少；但钧瓷等以厚唇为美的个别窑场除外。从种类上看，以尖圆唇为显著特征，其他唇部造型在数量上比例较少；在功能上，兼具实用与装饰的结合。

图 4-74 "芒口"白瓷碟·宋代

图 4-75 尖圆唇白瓷碗·宋代

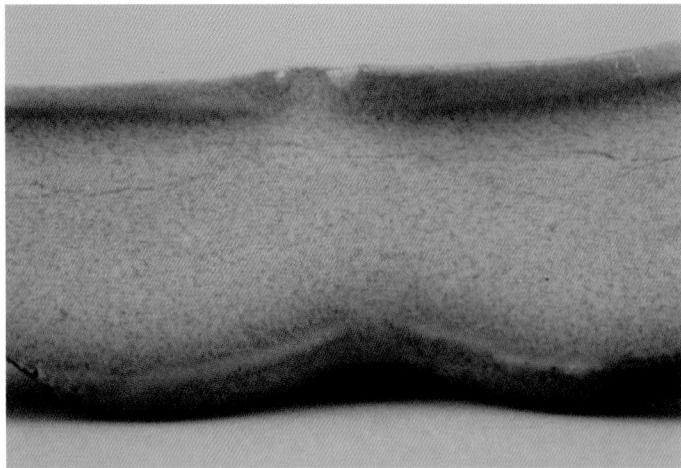

图 4-76 集聚陈设装饰功能为一体的花口沿钧瓷标本·宋代

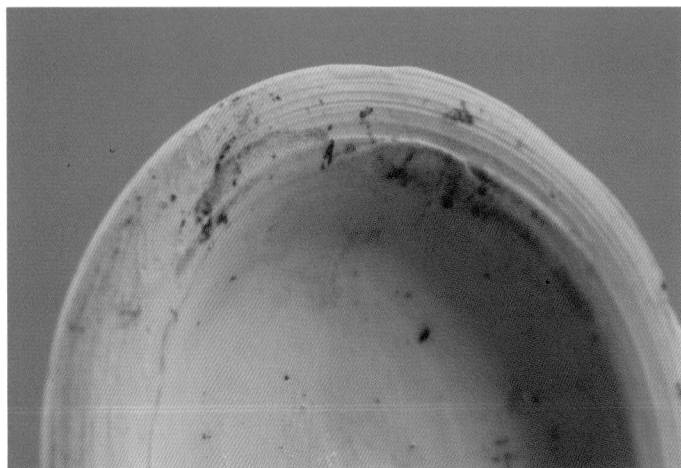

图 4-77 浅腹定窑白瓷盘·宋代

3. 从沿部上鉴定

宋元瓷器在沿部造型上主要有平沿、折沿、撇沿、薄沿、厚沿、花口沿等（图 4-76）。从时代上看，较具均衡性特征，变化不大。宋元瓷器倾向薄沿、较薄沿的造型，过于厚的造型很少见。宋元瓷器不同的沿部造型在器形的选择上不同，如撇沿主要以唾壶、碗、盘、碟等为常见。功能以实用为主，兼具装饰性。

4. 从腹部上鉴定

宋元瓷器腹部造型繁多，常见的主要有鼓腹、深腹、球形腹、折腹、浅腹、曲腹、弧腹、圆腹、直腹、斜腹等（图 4-77）。从形制上看，宋元瓷器腹部造型较为直观，衍生造型比较复杂，如微鼓腹、近鼓腹、扁鼓腹、大鼓腹、弧鼓腹等，显然都是鼓腹的造型。不同腹部造型在器物造型的选择上不同，主要以实用为显著特征。在功能上，首先是以实用为先导，其次才是装饰性的功能。

图 4-78 平底珍珠地划花瓷枕·宋代

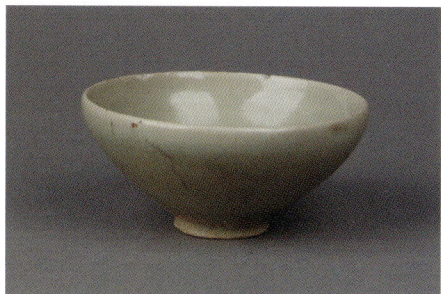

图 4-79 精美绝伦的圈足钧瓷碗·宋代

图 4-80 圈足天青釉莲花式温碗·当代仿宋

5. 从底部上鉴定

宋元瓷器底部造型以平底为主，如碗、盘、碟、罐、瓶、盆、盏、壶、盂等都常见（图 4-78）。是否为平底主要是以实用的需要为主。另外，在底部造型上还有圜底的造型，如在一些香炉上就常见到。显然是器物造型必须选择，非常的直观。在功能上，首先是实用，其次是装饰。

6. 从足部上鉴定

宋元瓷器足部造型比较复杂，常见圈足、饼足、花形足、尖状足、蹄形足、饼足等（图 4-79）。以圈足为主要特征（图 4-80）；饼足等数量较少。衍生性造型比较强，如圈足可以衍生出大圈足、小圈足、圈足外撇、圈足内敛、高圈足、矮圈足等数十个不同的固定造型。总体来看，矮、薄足部造型以宋代为主。不同的足部造型在器物造型上选择不同。如乳足多是在炉等特有器形上出现（图 4-81），而不会在碗上出现，是否出现的标准显然是以实用的需要为主。

图 4-81 北宋官窑香炉·当代仿宋

七、纹饰鉴定

宋元瓷器主要以釉质取胜，但并不排斥纹饰，如著名的定窑瓷器中纹饰就占有很重要的地位。下面，以定窑为例来看一下。

宋代定窑瓷器纹饰题材丰富，如草叶纹、动物纹、牡丹纹、花果纹、菊花纹、芙蓉花纹、芙蓉团花纹、梅花纹、缠枝菊花纹、模印缠枝菊花纹、缠枝花卉纹、折枝花卉纹、六瓣花蕊纹、印牡丹花纹、印芙蓉团花纹、枝蔓纹等都有见，可见定窑瓷器在纹饰种类上之繁复（图4-82）。同时也可以看到定窑瓷器在纹饰题材上的进步，抛弃了瓷器不重视纹饰的传统，一改过去瓷器即使装饰纹饰也是以简单的刻划纹为主，寥寥几笔，或一笔带过等现象。从构图上看，以简洁为主，并不讲究繁复，而是以传神为主，几笔勾勒而成的纹饰图案大量存在。构图严谨，不草率了事，主辅纹关系明确，层次分明，线条流畅自若。刻划、剔刻、模印、浮雕等诸多方法并进。宋元定窑纹饰在功能上具有鲜明特征，体现实用与装饰的结合，寓意吉祥，如"年年有鱼"等题材常见（图4-83）。

图4-82 繁缛花卉纹的白瓷标本·宋代

图4-83 刻划鱼纹的白瓷碗·宋代

图 4-84　高贵而典雅的珍珠地划花瓷枕·宋代

　　由上可见，宋元瓷器在纹饰上的确是有大的进步，改变了历史上很多人对于瓷器纹饰的固有传统和观念（图 4-84）。但我们可以看到，像定窑这样重视纹饰的窑口不多，这一点是显而易见的。传统和变革并存，实际上，在这一时期，特别是宋代，真正的主流瓷器显然不是有纹饰的瓷器（图 4-85），而是以汝窑、官窑等为代表的传统无纹的青瓷。

图 4-85　实用与装饰完美结合的白釉画花鸟纹瓷枕·宋代

第五章　明清瓷器

第一节　概　述

一、明代瓷器

自青花瓷烧制成功后，便以迅猛的速度向国内外发展（图5-1），至明代永乐、宣德时期，在烧造技术上达到顶峰。下面就让我们来看看宣德青花瓷。

图5-1　实用与装饰融合的青花瓷盘·明代

在造型上，宣德瓷器以生活用品（图5-2）、酒器为主。如碗、盘、罐、花口钵、双肩扁壶、靶杯、靶盏、耳杯、梅瓶等。大小悬殊，器高在4～600厘米之间，敦实古拙，线条圆浑、柔和。与明初洪武制品相比，胎体变薄，有秀、巧、轻、薄感；底足未经打磨，手感粗糙，有棱角，俗称"月亮弯"（图5-3）；做工精细，露胎处有火石红，大器为砂底，小器底施釉；胎釉结合良好，小鸟食罐为覆烧，口沿无釉。

图5-2　品相极优的宣德青花碗·当代高仿明　　图5-3　精美绝伦的宣德青花瓷碗·当代仿明

图 5-4 布局繁密略有铁锈疤痕宣德官窑花卉纹青花瓷碗·当代仿明

在青料上，宣德青花瓷盘用元代剩下的进口料或郑和下西洋带回来的"苏泥麻青"料（中文译为玻璃蓝）。以上两种料实为一种料，同出于一个产地，其特点是色泽浓艳、凝重。在盘上青料浓厚的部分有自然形成的铁锈疤痕（图 5-4），下凹深入胎骨。另一类，发色稍淡，雅致，且无"铁锈疤"，可能是较优质的国产和进口料的混合料，但此类较少。宣德青花瓷盘釉汁均净，底釉泛青。可见宣德青花瓷已经将青花瓷的烧造技术发展到了极致。此后，明代各个时期的青花瓷发展都非常好（图 5-5），如景泰、天顺、成化、弘治、正德、嘉靖、隆庆、万历等。

图 5-5 青花瓷碗·明代

二、清代瓷器

清代瓷器以青花瓷为主（图5-6）。中国古代瓷器至清代到了康熙、雍正、乾隆时期，在工艺上又有了新的突破，特别是雍正青花瓷工艺水平极高，处于历代之最。乾隆以后几乎不见精品，之后再也没有辉煌过，开始走向衰落。鉴于此，本书着重介绍康熙、雍正、乾隆王朝。实际上这三朝也基本上代表了清代制瓷业的发展水平。下面我们就以康熙瓷器为例来看一看清代古瓷器的文明史。

康熙时期的瓷器以青花、五彩、单色釉为主，先让我们来看一看康熙时期青花瓷的主要特点。在造型上，康熙早期有明末遗风，器物整器显得厚重，做工粗糙，露胎处常见火石红，底足打磨后呈泥鳅背状，手感滑润。康熙晚期胎土淘拣十分严格，胎体变薄，没有厚重感，且瓷化程度高，胎釉结合良好，故看上去细致坚硬。这些是康熙青花瓷在造型上的鉴定要点。在青料上，康熙早

图5-6 较为稀少的青花瓷观音像·清代

图 5-7 青花瓷山水六棱瓶·清代

期用国产的石子青，发色灰暗，呈紫色；中期后使用浙料和珠明料，发色艳丽，呈蓝色，能分出浓淡层次，其种类大致有白地青花、豆花青花、青花加紫等。在纹饰上，康熙青花瓷前期仍有明代遗风，采用了单线平涂，线条粗犷。而到了中期以后，在绘画上勾、染并用，线条流畅，细而有力，将绘画艺术完美地运用到青花瓷上来；其纹饰内容主要有人物、花鸟、山水等，在器物上画得很满，且题字和纹饰结合在一起，没有单独题字的器物。另外，康熙时期的五彩瓷，色彩艳丽，非常好看，后人不断仿造，在光绪和民国初期，伪造达到了高潮，烧出的红彩和绿彩几乎可以乱真。在辨别此类伪器时，只要看器物上的图案，就可以区分真伪：其一，在上彩方面，康熙五彩在上彩时，随意性很强，显得自然，而作伪者只能照葫芦画瓢，所以伪器上的图案显得特别拘谨，不自然。其二，康熙五彩的落款与釉浑然一体，而伪器的落款看上去像是漂浮在釉上，这就是久负盛名的康熙瓷器。雍正、乾隆时期清代的制瓷业继续发展。自乾隆以后，中国的制瓷业彻底走向没落，嘉庆、道光、咸丰、同治、光绪、宣统等，都没有什么精品出现（图 5-7），在工艺上也没有突破。主要生产一些日用瓷和陈设器，仿别朝甚多，质量粗制滥造。

第二节　明清瓷器鉴定

一、胎质鉴定

图 5-8　造型隽永的青花瓷茶盏·明代

1. 从选料上鉴定

明清瓷器在高岭土料的使用上仍然延续着传统。在精致程度上，明清高岭土料可以划分为优质、普通、粗质 3 种。如明清官窑瓷器显然是以精致为主（图 5-8），而民窑主要是以普通、甚至粗质的高岭土料为主。胎色以白胎为多见，如青花瓷的胎体基本为白胎。另外，明清时期瓷器黏土料的使用很常见。但以民窑为主，官窑不见。民窑以掺合料为主，成分复杂，较为粗质。

2. 从淘洗上鉴定

明清瓷器胎体淘洗分为精炼、普通、粗略 3 级，官窑瓷器基本都精炼，民窑瓷器当中上好者淘洗精炼（图 5-9），普通和粗糙者在淘洗上情况变得复杂，这主要与其用料不好有关，因为淘洗实际上是很难控制的。

图 5-9　"大明成化年制"款青花瓷标本·明代　　图 5-10　"大清嘉庆年制"花卉纹青花瓷标本·清代

3. 从较细胎上鉴定

明清瓷器较细胎者常见。青花瓷主要胎体就是较细胎（图5-10）；而传统的青瓷和白瓷等由于退居次要市场，胎体谈不上是优良传统，胎色白胎、橙色胎、灰褐、深灰等都有见，明显落伍。从原料上看，较细胎的瓷器多以高岭土为料，黏土料很少见。

4. 从厚薄程度上鉴定

明清瓷器胎体以轻薄而著称（图5-11），而且这一趋势从洪武时期的较厚，逐渐向薄的方向发展，但也谈不上真正的薄，如蛋壳似的工艺瓷，而是处于相对造型稳定的恰好厚度。明清官窑瓷器力学厚度上掌握得好，而民窑瓷器掌握得差一些。传统青、白、黑釉瓷器在厚薄程度上略显较厚，没有什么力学的平衡感，烧一批成一批。由于退居到二线市场，图的就是减少成本。

5. 从重量上鉴定

明清瓷器在重量上比较复杂，同样的器物，官窑轻而民窑重，这与胎体的厚度，以及所使用的原料都有密切关联。传统青瓷、白瓷等在重量上表现出的多是重，因为原料选择不佳、淘洗不精、胎体略厚。鉴定时这种重量特征有时相当有用。起码可以给我们一个感性的认识。

6. 从胎釉结合上鉴定

明清瓷器已经完全没有了胎釉结合上的问题（图5-12），无论是青花瓷、青瓷、白瓷、青白瓷等，在胎釉上都表现良好。如果看到明清高温釉瓷器有胎釉剥离者，应该特别引起注意，基本上可以判定为伪器。

图5-11 轻薄胎青花瓷碗·明代

图5-12 嘉庆"寿"字纹青花盖盏·清代

图 5-14 胎体略有黑粒的青花瓷标本·明代

7. 从杂质上鉴定

明清时期的青花瓷器胎体上有杂质的情况普遍好转（图 5-13），在胎体上基本看不到星星点点的杂质，但这主要是对青花瓷而言。而一些非主流的，如传统的青瓷、白瓷、黑瓷等，在胎体杂质特征上与前代几乎没有太大的改变。

8. 从黑粒上鉴定

明清瓷器当中黑粒现象主要针对的是传统的青瓷、黑瓷、白瓷、褐釉、酱釉瓷器等。胎体黑粒虽然并不严重（图 5-14），但依然存在，特征与宋元相似。而青花瓷在胎体上黑粒比较少见，具有偶见性、点状等特征，而且与精致程度关系密切。精致的青花瓷之上很少见到黑粒，普通和粗糙的瓷器上则常见黑粒。

图 5-13 官窑康熙花卉青花五彩瓷器标本·清代

图 5-15 光绪花卉纹青花漆盒·清代

图 5-16 宣统花卉纹青花瓷盒·清代

9.从露胎上鉴定

明清瓷器上的露胎现象在传统青、黑、白等瓷器当中还有见，但已不像唐宋那样张扬，多是圈足露胎等。而明清主流瓷器青花瓷对于露胎似乎没有好感。

10.从变形上鉴定

明清瓷器中变形者并不多，但是有见。墓葬和遗址中偶能见到一些，从件数特征上多为1件，或者2件，总量十分有限。这样的瓷器不限于传统的青、黑瓷，而是青花瓷也会有。从形态上看，变形多不严重，以胎体厚薄不均、歪斜等为主要特征。明清官窑成品几乎不见变形器。

11.从温度上鉴定

明清瓷器在烧造温度上十分明确，温度相当高。如青花瓷烧造温度达到1300℃（图5-15）。乡村级窑场烧造的传统瓷器，在温度上则没有这么高，但也能达到1000℃左右。不过，一些宫廷烧造的低温釉瓷器在温度上比较低，如斗彩的低温釉需要800℃的温度进行烧造，而粉彩的温度也是比较低。

12.从硬度上鉴定

明清瓷器硬度大，坚硬，这一点是显而易见的，无论传统瓷器，还是青花瓷等都是这样。

13.从致密上鉴定

明清瓷器以致密为主（图5-16），胎体疏松者偶见。明清瓷器致密的胎体是一个连锁的概念，官窑瓷和民窑精致、普通的瓷器在胎质致密程度上都非常好。从时代上看，明清瓷器在胎体致密程度上的表现显然与其实用功能有关。

图 5-17　正德竹石纹青花瓷标本·明代

图 5-18　弘治花卉纹青花瓷标本·明代

二、缺陷鉴定

1. 从粘连上鉴定

明清民窑瓷器粘连的情况有见，特别是传统的青瓷、白瓷、黑瓷、黄釉、青花瓷等瓷器有见粘连，但严重者很少见，而且数量很少。官窑瓷器当中很少见有粘连的情况，当然只是成品没有粘连的情况，从窑址上的瓷片来看，同样存在着粘连的情况。因为粘连的情况很复杂，这是属于窑内的一种缺陷，有时候人力很难控制。鉴定时要注意分辨。

2. 从破碎上鉴定

明清瓷器破碎者多见（图 5-17），特别是窑址之上的器皿基本都是破碎的。民窑之上还能找到完整器，但是官窑场之上很难找到。因为官窑不计工本，烧坏后直接打碎，以防止流入民间。　但明清瓷器由于传世品增多，所以完整器与碎片比例有所上升（图 5-18），传世品完整器占有相当比例。

3. 从裂缝上鉴定

明清瓷器有裂缝者有见，但是真正裂纹而没有碎掉的少见，多数是经过打钉而修复过的瓷器。这些瓷器虽然是完整器，但上面却是布满裂纹，这样的瓷器造型多以碗、盘为主，是当时人们节俭的一种见证。这样的瓷器时代多数比较晚，清代中晚期数量较多，鉴定时应注意分辨。

4. 从油污上鉴定

明清瓷器中有油污者常见（图5-19），这与其传世品的增多有明显关联。有油污的瓷器以碗、盘、碟、盆等人们日常生活常使用的造型为主。这些油污有时侵蚀到釉面之内，不能清洗干净，多数是因受到高温而导致，而这恰是我们的鉴定依据。但官窑瓷器之上很少见到，这与官窑瓷器烧造技术的完善，以及在使用时的小心密不可分。鉴定时应注意分辨。

5. 从口磕上鉴定

明清瓷器中口磕者常见（图5-20），但多数口磕不是窑内形成的，而是使用时来自外力的结果，如两个盘子之间相互磕碰。这其实是不可避免的事情，而这一点在明清时期的传世品上被表现得淋漓尽致。特别是如碗、盘等，口沿之上有的到处都是磕磕碰碰。当然这种磕碰以民窑瓷器为主，官窑瓷器在这一点上表现得比较好。而我们在鉴定时要反复揣摩被鉴定物在当时的用途，是陈设器皿，那么口磕的可能性很小，如果也是如碗一样的到处磕碰，就不符合正常的规律了。

图5-19 略有油污的青花梵文碗·清代

图5-20 口部有磕碰的青花折腹碗·清代

6. 从足磕上鉴定

明清瓷器足磕的现象也是非常严重（图5-21）。官窑瓷器足磕的情况少一些，主要以民窑为主。再者主要是以传世品为主，以常使用的碗、盘、碟、杯等器皿为常见，特别是酒杯的足部到处是被磕碰的豁牙，这显然是由于人们喝酒时放杯用力过猛而造成。但是如瓶等陈设器，即使民窑生产的足磕发生的几率也很小。我们在鉴定时应反复揣摩。

图 5-21 有足磕的青花瓷标本·明代

7. 从伤釉上鉴定

明清瓷器伤釉的情况时常有见，但多是一些传世品。有的是人为刻划的痕迹，如刻划几个歪歪斜斜的字等，有的是受到火烧，瓷器釉面发生一些变化，总之，摩擦、划伤、缩釉、窑裂等都会造成伤釉。但主要是以民窑的普通瓷器，特别是以粗糙瓷器为主。官窑瓷器当中几乎不见。

三、釉色鉴定

1. 从青釉上鉴定

在传统的青釉瓷器被青花瓷等新兴瓷器排挤出主流之后，小品种的青釉瓷器登上了历史舞台（图5-22）。这些青瓷在明清时期非常流行，是人们日常生活当中的主流。我们来看一看：

（1）冬青：冬青釉瓷器在明代永乐朝烧造成功，其色彩深沉、苍翠，釉色纯正，有玉质感。明清两代官窑都有烧制，影响极其深远（图5-23），几乎所有的地方小窑场也都纷纷仿烧，一时间神州大地到处都是冬青釉的瓷器。

图 5-22 青釉瓷盘·清代

图 5-23 冬青釉瓷器标本·清代

图 5-24 粉青釉瓷盘·清代

图 5-25 白釉瓷杯·清代

（2）豆青：豆青釉瓷器康熙时期最喜烧造。其色淡，青翠欲滴，釉层匀净，光泽柔和，滋润。同样雍正皇帝也喜欢豆青釉瓷器，乾隆朝亦非常重视豆青釉的烧造，因此豆青釉瓷器在康、雍、乾三代达到了相当高的水平。但这仅限于官窑，民窑瓷器生产的豆青釉达不到官窑的水品，但仿烧的也颇得其意。

（3）粉青：粉青釉瓷器釉色最淡（图 5-24），色最鲜亮，略显有油腻感，恬静、莹润，通体闪烁着非金属的光泽。清代雍正时期达至顶峰。民间仿烧不及官窑，但也是色彩稳定，自成体系。

2.从白釉上鉴定

明清时期的白釉瓷器，相当的稳定，严重的偏色也不多见，固定化的程度明显，逐渐进入乡野之间。在当代的许多村头巷尾，特别是再有一条小河，我们多半就可以发现一些明清时期的小窑场。通过遗迹可以看出很多是生产白瓷的，以微利生存。由此可见，传统的窑场虽然失去了关注，但依然以极大的热情想要生存下去，这在世界上绝对是一种奇迹。从数量上看，虽然小的白瓷窑场想用量和低成本来取胜，但是实际的情况是量并不大，量的大小主要取决于乡村大小和繁华程度。非金属光泽浓郁（图 5-25）。从精致程度上看，这些小窑场明显想做好，但技术和原料太差了，往往是不能如人意，故产品以粗糙瓷器为主。色彩上，白釉泛灰和泛黄的都比较常见，鉴定时注意分辨。

3. 从天蓝釉上鉴定

天蓝釉源自于钧瓷，是一种高温单色釉，明清时宫廷亦有烧造。天蓝釉最早创烧于康熙朝，雍正、乾隆朝都有烧造，以雍正朝最盛，之后鲜见。民窑亦有仿烧。

4. 从乌金釉上鉴定

乌金釉是高温单色釉的一种，创烧于康熙年间，流行时间很长，以康熙朝为主，雍正早期有过一些，但创新明显不足，数量极少，异常珍贵（图5-26）。所谓乌金釉就是以铁为着色剂，色黑、鲜亮、沉稳，精美绝伦。

5. 从郎窑红釉上鉴定

郎窑红以康熙时期江西巡抚兼督窑官郎廷极的姓氏而得名。实际上，郎廷极时期烧造出了很多颜色釉瓷器，郎窑红是影响最大的一种。其本质是高温铜红釉，色彩浓艳，呈像血一样的红色。釉色讲究与天道同行，在高温下红釉自然倾泻（图5-27），产生浓淡的变幻，这一技术难度极大，当时就有民谣"要想穷，烧郎窑"的说法。因此民窑仿烧的不是太多，多数是改革开放以后仿的，工艺水平极差，与郎窑红有一定的距离，比较容易辨别真伪。

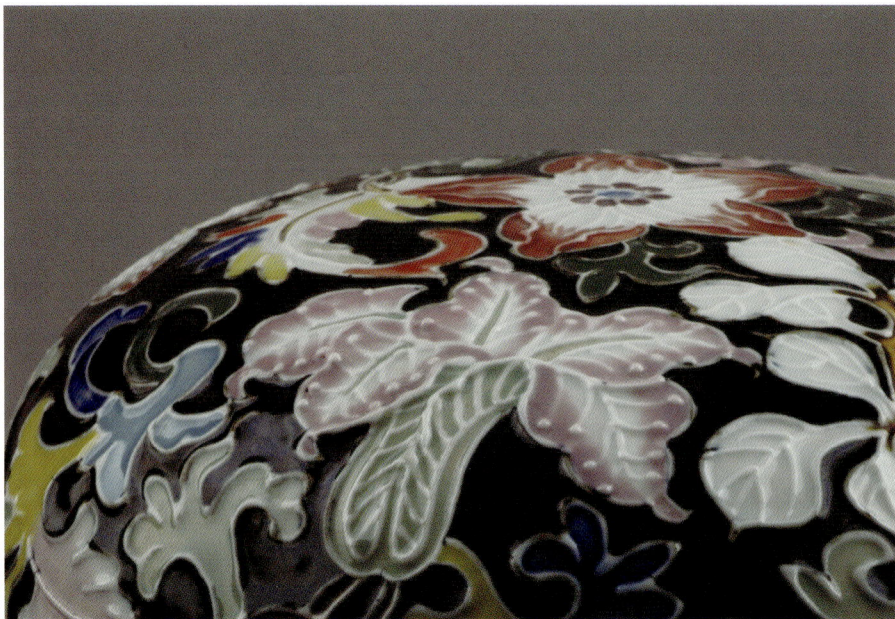

图5-26 乌金釉珐琅彩瓷盒·当代仿清

图 5-27　郎窑红釉瓷杯·当代仿清

6. 从孔雀绿釉上鉴定

孔雀绿釉是一种低温单色釉（图 5-28），釉色鲜艳、青翠、浓烈，如孔雀开屏般的色彩。宋元时期就有见，明清时期亦有见。明代孔雀绿釉达到鼎盛，正德朝喜烧，色泽鲜艳。清代康熙朝也比较喜欢烧造，分为浓淡两种，多数为精美绝伦之器。民间窑场也多有仿烧。

图 5-28　孔雀绿釉瓷器标本·明代

7. 从五彩釉上鉴定

明、清时期，五彩釉瓷器十分鼎盛。五彩釉瓷器的烧造比较复杂，是在已经烧好的高温釉瓷器之上施加彩料，之后再次低温进行烧造，形成红、黄、绿、蓝、褐等诸多色彩的瓷器。颜色很多，并不是只有五色（图5-29），而是为了方便起见，称为五彩。明代主要烧造青花五彩，也就是蓝色以青花来代替；清代康熙五彩十分流行，康熙五彩直接使用蓝彩，色彩类别进一步丰富，黑彩、紫彩、金彩等，争奇斗艳，令人目不暇接。

8. 从斗彩上鉴定

斗彩是釉下青花和釉上彩绘相结合的产物（图5-30），有两种烧造方法。

（1）第一种，先用青花在坯胎上绘画出纹饰图案的局部，如花卉先绘出一半，上透明釉高温第一次烧造；再在青花瓷上将青花图案的另外一部分用彩料补上，之后再次入窑低温烧造而成，称之为"拼逗"。这种方法烧造而成的斗彩，对比强烈，争奇斗艳，美不胜收。

图5-29 青花五彩花卉纹瓷器标本·清代

图5-30 斗彩瓷器标本·清代

图 5-31　釉层均匀的黄釉瓷器标本·清代

图 5-32　景德镇窑祭蓝釉瓷炉·清代

（2）第二种，用青花钴料在坯胎上将整个图案轮廓勾勒出来，中间的空隙留着上彩料。第一次上透明釉烧造；之后，再在烧好的半成品上用彩料将轮廓内留白处填充完毕，然后再进行二次低温烧造。称之为"填逗"。这种方法烧造而成的斗彩，同样是对比强烈，美不胜收。

斗彩瓷器最早创烧于明代宣德时期，清代康熙、雍正、乾隆时期都喜烧。真正的斗彩深藏于宫廷，除了被"八国联军"抢去的一些外，几乎未能走出宫廷。民窑有仿造，但多不得其意。原因有两点：一是工艺太复杂；二是成本太高，所以高仿的斗彩瓷器数量也是比较少。在色彩上，除了青花的色彩外，与之相对的色彩红、黄、白、紫、黑、绿、褐等都常见。

9. 从黄釉上鉴定

明代永乐、宣德年间官窑首创低温黄釉瓷器（图 5-31），之后各朝都有烧造，成就极高。烧制出一种釉色呈鸡油色的低温黄釉，由于其过于娇嫩，人称之为"娇黄"。弘治时期也是达到了相当高的水平，在釉色上呈色稳定，娇艳的黄色，色泽凝重。之后，很少见到精品，民窑亦有仿造，但不得大意。

10. 从祭蓝釉上鉴定

祭蓝釉是一种祭祀用的蓝釉，呈现出色泽稳定的蓝色（图 5-32），以氧化钴为着色剂，高温烧造而成，色泽浓烈、鲜亮，呈现非金属油性光泽。祭蓝釉在元代就有生产，明清两代延续，明代宣德、嘉靖，清代康熙、雍正、乾隆时期在祭蓝釉的烧造上都达到了较高水平，以雍正朝为最好。

11. 从豇豆红釉上鉴定

豇豆红是一种高温铜红釉瓷器（图5-33），在烧好的白瓷上吹釉，一次吹釉、二次吹釉、三次吹釉等。通过几次吹釉，入窑烧造，效果极佳。釉色淡雅，变幻莫测，有的如盛开的桃花，称"桃花片"；有的如同小孩的红脸蛋，称"娃娃脸"；有的如同女人羞涩或醉酒之时的脸颊，称"美人醉"。低温釉烧造，玉质感强烈，柔软，如肌肤，可捏、可把玩。可以说豇豆红将瓷器的烧造达到了一个新的高度，令人感慨。

12. 从酒蓝釉上鉴定

酒蓝釉是一种高温釉，吹动形成，风吹而动，造就了绮丽景观。出窑后釉面形成蓝色的小斑点，像雪花一样深浅不同，犹如一个童话般的世界。宣德年间首见，之后似乎是停滞了一段时间，或者是烧造不成功；直至康熙时期酒蓝釉又一次兴起，非常成功。釉色深浅均有见，亦真亦幻，达到了相当高的境界。雍正时期也有烧造。民窑也有仿造，但不得其意。

13. 从仿哥釉上鉴定

仿哥釉瓷器是一种高温颜色釉，为仿宋代哥窑而造（图5-34）。明、清官窑仿烧哥窑从未停息，由明宣德年间所创，青灰、粉青、豆青、月白、灰白等色都有见，开片点到为止，非常优雅，颇得哥窑之意。民窑也有仿造，但多不得其意，不过数量很多。

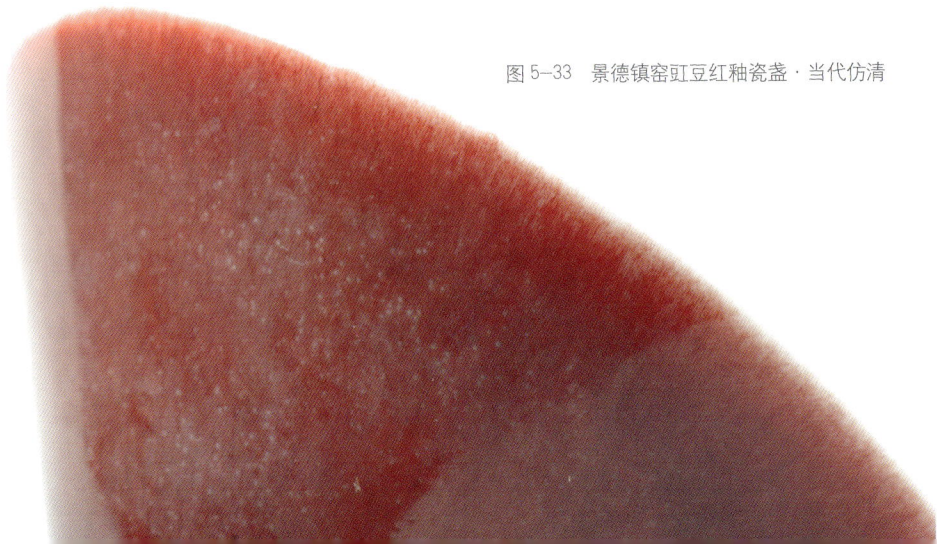

图 5-33　景德镇窑豇豆红釉瓷盏·当代仿清

图 5-34 仿哥釉细开片瓷器标本·明代

14. 从粉彩上鉴定

粉彩在康熙时期烧造成功，是直接受到珐琅彩影响而创烧出的新品种（图 5-35）。先用玻璃白打底，以铅为助溶剂，之后再施彩料，用笔将彩料依据浓淡程度搅开，入窑低温烧造而成。色泽艳丽、浓艳、鲜亮，明暗对比分明，层次感强烈（图 5-36）。开始，在宫廷流行，后传入民间，各大窑场纷纷烧制，在民间广为流传。是为数不多走出宫廷的瓷器品种之一。

图 5-36 粉彩高士图瓷标本·清代

图 5-35 粉彩花口盘·清代

15. 从红绿彩上鉴定

红绿彩只是一种称谓，并非真的只是红绿两色（图5-37），多以红、黄、绿结合，且相互衍生，形成诸多色彩。如青翠、墨绿、明黄、淡黄等都有见。也正是这些色彩的相互组合，使明清红绿彩瓷的成就达到极高。

16. 从釉里红上鉴定

釉里红是一种高温铜红釉，为元代景德镇创烧成功。主要是以氧化铜为彩料，上透明釉，入窑一次烧造成功。烧造难度极大，极易出现残次品。景德镇在元、明、清时期都有烧造。明、清时期以康熙朝最为成功，奇迹般地将青花釉里红烧造成功（图5-38）。其实，青花釉里红在元代就有烧造，明代也多有见，但有不等于烧造成熟。民窑也有烧造，在技术互换的时代，康熙朝后期民间窑场的烧造，也取得了很大的成功。但若与官窑相比还是有差距。

图 5-37　红绿彩枝叶纹瓷器·明代

图 5-38　青花釉里红人物纹鼻烟壶·当代仿清

17. 从仿竹器上鉴定

仿竹器是明清时期常见的颜色釉工艺瓷品种之一（图5-39），以清代乾隆后为常见。该仿器个个惟妙惟肖，可以看到竹节，不仔细看，以为是竹器。一般是先素烧，然后再施加黄釉，之后，低温烧造而成。

18. 从珐华釉上鉴定

珐华釉以牙硝为助溶剂，先烧制素胎，再施釉，之后二次低温烧造，呈现出蓝、紫、绿、黄、白、黑等色，色淡雅、非金属光泽，朴实无华。珐华是山西南部的方言，将其主要特点"粉花"说成了珐华，故而得名。明清时期，该类瓷器广为流行于山西南部，为地道的民窑。

图5-39　完好无损的黄釉仿竹器瓷笔筒·清代

图 5-40　祭红釉瓷器标本·清代

19. 从祭红釉上鉴定

祭红釉明清两代都有烧造。为高温烧造而成，色彩浓烈、凝重、奔放，像血，又像残阳，深红（图 5-40）。康熙朝后期创烧成功，雍正、乾隆时期也有烧造，清代末期大量烧造。民窑也是大量烧造，达到了一定的水平。

20. 从矾红釉上鉴定

矾红是一种低温红釉（图 5-41），以氧化铁为着色剂，釉色鲜艳，非金属的光泽。矾红在明、清时期都有烧造，康熙时期矾红的烧造达到了相当高的水平。民窑场亦有仿烧矾红釉瓷器，数量众多，但多不得大意。

图 5-41　矾红彩碟·清代

21. 从珐琅彩上鉴定

珐琅彩于康熙朝烧造成功，以铜胎珐琅器为模本。一般是在清宫造办处烧制，一是使用宫中旧藏白瓷为胎，二是使用新烧制的景德镇白瓷为胎，然后调制好珐琅料进行绘画，低温烧造而成。色彩艳丽，具有西画异常鲜亮等特点，同时具备铜胎珐琅彩的效果。但显然珐琅彩并不是要去仿造铜胎珐琅，只是独辟蹊径，以铜胎珐琅彩为原型而已。珐琅彩色彩对比众多，以红、黄、青、蓝、胭脂红等色为基调（图5-42）。有可能同时出现在一件器物之上，相互映衬，给人以极大的视觉震撼。康熙、雍正、乾隆时期都有烧造。

图 5-42 景德镇窑乌金釉珐琅彩瓷盒·当代仿清

四、釉质鉴定

1. 从较薄釉上鉴定

明清瓷器在釉层厚薄上特征明确，真正的薄釉很少见，但像唐代瓷器那样的厚釉也较少，主要以较薄釉为显著特征。从窑口上看，明清瓷器在窑口上没有过于复杂性的特征，主要以景德镇窑为显著特征（图5-43），在精致程度上没有过于规律性的特征。

2. 从稠密釉上鉴定

明清瓷器稠密釉者时常有见，但数量很少，主要以传统的青瓷、白瓷、黑瓷、黄釉等瓷为主，主要以无色透明釉为显著特征（图5-44）。因为青花瓷基本上都是透明釉烧制的。鉴定时应注意分辨。

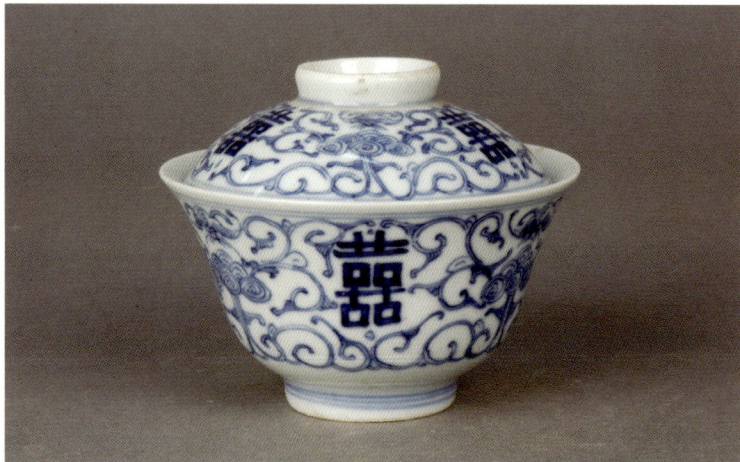

图5-43 嘉庆"喜"字纹青花盖盏·清代

图5-44 圈足青花茶盏·清代

图 5-45 略有开片、美不胜收、纹饰繁缛的花卉纹·清代

图 5-46 釉面匀净的黄釉瓷器标本·宋代

3. 从开片上鉴定

明清瓷器有开片者常见，但并不严重（图 5-45），只是时常有见，这一点无论青花瓷，还是传统的瓷器都是这样。官窑瓷器在开片之上控制得比较好，而民窑瓷器在开片的控制上则表现出不稳定性的特征。从形状上看，主要以长条形大开片、稀疏开片、细小开片为主。总体来看，明清瓷器在釉面上开片控制得比较好。

4. 从均匀上鉴定

明清瓷器釉层均匀者十分常见（图 5-46），从实物观测来看是绝对的主流。青花瓷自上而下在釉层厚度上几无挑剔，其他品类瓷器也是这样。可见明清瓷器同前代一样在釉层均匀程度上、烧造态度上绝无敷衍，且已成为主流。

5. 从流釉上鉴定

明清瓷器流釉者有见，但数量很少（图 5-47），特别是在青花瓷上，流釉似乎已经成为过去。明清官窑瓷器之上几无流釉现象。民窑瓷器之上基本也是这样，不过在民窑一些很粗糙的瓷器之上还是有见，不过流釉程度多不是很严重。总之，流釉在明清瓷器之上基本已经成为过去。

图 5-47 道光青花瓷罐·清代

图 5-49　艺术价值极高的青花菊花纹碗·清代

6. 从杂质上鉴定

明清瓷器釉面杂质比较少见，青花瓷之上杂质被控制在了一个极为良好的状态（图 5-48）。但显然从理论上讲没有杂质的釉面是不存在的，所以明清瓷器之上显然是无法避免杂质的存在。从官窑上看，明清官窑瓷器之上多数釉面匀净，视觉观察不到杂质的存在。从民窑上看，显然还不能完全避免杂质的存在，分为匀净、轻微、严重 3 种，当然，他们所对应的瓷器精致程度也是精致、普通、粗糙 3 种。而对于瓷器釉面匀净程度的判断主要是以人们的视觉，而不是物理学上的匀净。

7. 从化妆土上鉴定

明清时期瓷器化妆土技术已经相当娴熟，无论官窑和民窑，精致、普通、粗糙的瓷器都施加化妆土，基本无胎釉剥离现象（图 5-49）。

图 5-48　细腻洁白胎青花瓷标本·清代

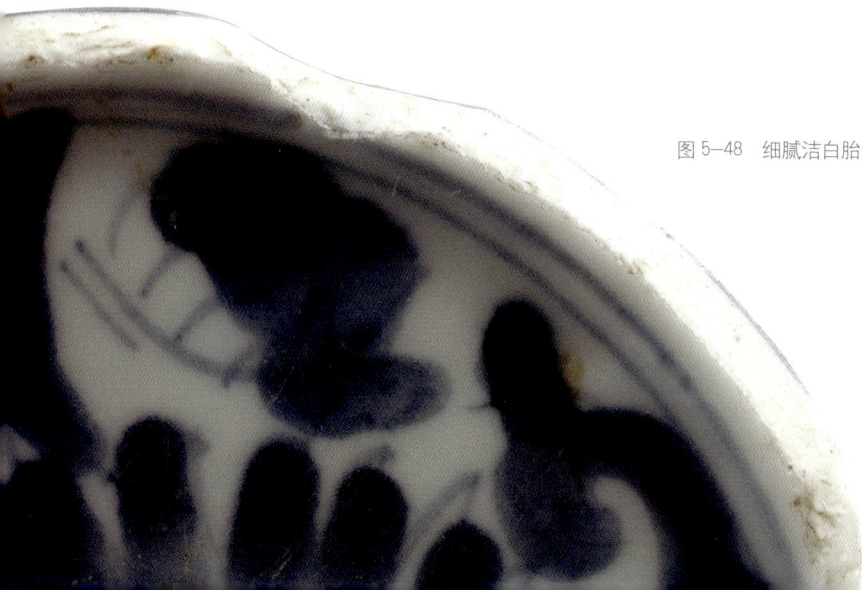

8. 从手感上鉴定

明清瓷器手感特征主要有高温釉和低温釉的区别。高温釉手感细腻、滋润、润滑，个别粗瓷釉面会有粗涩之感。而低温釉除了这些感觉之外，还会有润泽的"棉"感，就是瓷器不再是冰冷的瓷器，手感像是有生命似的。如斗彩、粉彩、五彩、珐琅彩、"娃娃脸""美人醉"等都会有这样的感觉。当然，这种感觉官窑烧造的最好。从重量上看，主要以轻盈为显著特征（图5-50）；厚重感的瓷器不多见，以少量粗糙瓷器为主。

9. 从施釉部位上鉴定

明清瓷器在施釉部位上特征十分明确，趋势是施满釉（图5-51）。官窑瓷器许多是施满釉，青花瓷也是以施全釉为显著特征，至多也是底足未施釉等。在明清瓷器之上，只有釉质优劣之分，没有施半釉和全釉之分。

图5-50　花卉纹青花瓷盘·清代

图5-51　施满釉茶叶末釉梅瓶·当代仿清

图 5-52　精益求精的直口精黄釉瓷笔筒·明代

图 5-53　尖圆唇青花鱼纹大盘·清代

五、造型鉴定

1. 从口部上鉴定

明清瓷器在口部特征上常见敞口、敛口、直口、小口、侈口、花口、子母口、盘口、撇口等（图 5-52），可见主要为传统的延续，基本前代都有。这些口部特征的衍生性也是非常强，如敞口可以衍生出大敞口、小敞口、敞口微撇等；从功能上看，主要是以实用为主，兼具装饰性的功能。鉴定时应注意分辨。

2. 从唇部上鉴定

明清瓷器唇部造型比较丰富，圆唇、尖唇、尖圆唇、厚唇、薄唇、撇唇等都常见（图 5-53），基本都是一些传统延续下来的造型。可见，明清瓷器在唇部造型上基本达到了比较合理的程度，无需进行过多的改变。从形制上看，比较直观，以视觉为判断标准，主要以尖圆唇最为常见，圆唇的数量有进一步的上升。不同唇部造型在器形的选择上有所不同。如方唇，多会选择灯、壶、瓶等造型。在功能上，一类首先满足实用的需要，其次是装饰的功能，这样的瓷器以民窑为主。另一类是实用与装饰的功能并举，这样的瓷器以官窑为主。我们在鉴定时应注意体会。

3. 从沿部上鉴定

明清瓷器平沿、折沿、敞沿、敛沿、较薄沿、花口沿、撇沿等沿部造型都有见（图 5-54），但这些沿部造型在出现的频率上差异较大。如花口沿频率很低，而折沿比例就大得多。从形制上看，造型以直观为主，衍生性比较强，如平沿可以衍生为平折沿、近平沿、宽平沿、小折平沿等。从厚薄上看，以较薄沿为多见，厚沿的数量进一步较前代减少。在功能上，主要以实用和装饰的结合为主。

图 5-54　折沿外撇五彩花卉纹高足杯·明代

4. 从腹部上鉴定

明清瓷器腹部造型常见的主要有深腹、鼓腹、折腹、曲腹、坦腹、弧腹、直腹、斜腹等（图 5-55）。但这些造型并不是所有的都常见，主要以鼓腹、深腹、弧腹为多见；其他造型数量很少。造型以直观为主（图 5-56），在衍生性上十分丰富，不同的器物造型会选择相应的腹部造型。明清瓷器在腹部功能上特征十分明确，以实用的功能为主，装饰的功能为辅。

图 5-56　鼓腹康熙朝青花瓷瓶·清代

图 5-55 坦腹粉青瓷盘·清代

5.从底部上鉴定

　　明清瓷器底部造型特征比较简单，以平底为主（图 5-57），圈底为辅。从衍生造型上看，主要以平底为主，如大平底、小平底、内凹、微凸等，显然都是衍生性造型，形制直观（图 5-58）。明清瓷器不同的底部造型与器物造型的不同有关，如圈底常应用在炉等造型上。在功能上，以实用为先导，结合装饰性的功能。

图 5-57 平底咸丰朝青花瓷碗·清代　　　　　　图 5-58 修胎仔细圈足青花瓷盘·清代

图 5-59　圈足青花瓷碗·明代

6. 从足部上鉴定

明清瓷器足部造型常见的有圈足、饼足、花形足、尖状足、蹄形支足等（图 5-59），多为传统延续下来的造型。形制比较直观（图5-60），衍生造型丰富，不同的足部造型会对应相应器形。如支足多会对应香炉等造型。明清瓷器足部功能主要以实用为主，兼具有装饰的功能。

图 5-60　弧鼓腹黄釉瓷器标本·清代

六、纹饰鉴定

　　明清瓷器在纹饰上主要延续传统（图5-61）。首先来看传统的瓷器，由于青花瓷的兴起，明清时期瓷器被排挤出主流市场（图5-62），主要在乡村级的窑场烧造。从题材上看，明清传统瓷器在纹饰题材上依然是十分丰富，如几何纹、花卉纹、草叶纹、动物纹、菊花纹、芙蓉团花纹、枝蔓纹、弦纹、蕉叶纹、鱼纹等都有见。明清瓷器纹饰的抽象化比前代严重，很多纹饰都看不出具体是什么。在构图上以简洁为美，寥寥几笔便可以勾勒出一幅图画。定窑的影响一直在延续，线条偶见绵软无力的情况，多数还是流畅的。饰纹方法上依然保留着宋元遗风，主要有刻划、剔刻、模印等，但出现的频率与宋元时期相比大为不同，回归到了主要以刻划花为主的时代。从功能上看，明清瓷器纹饰在功能上特征鲜明，以装饰为先导，体现实用与装饰的的结合。鉴定时应注意分辨。青花瓷，以及五彩、斗彩、粉彩、珐琅彩等诸多彩瓷在纹饰之上都十分繁复。我们随意以五彩瓷器为例来看一下。从题材上看，五彩纹饰在题材上较为丰富，常见的五彩纹饰图案有团鹤、池莺、云龙、婴戏、人物、花鸟、山石、莲花、缠枝花卉、孔雀牡丹、八仙、海马、梅花喜鹊、人物故事题材等，

图 5-61　圈足康熙青花五彩花卉纹碗·清代

图 5-62 草业纹青花瓷盘·清代

图 5-63 五彩鱼藻纹瓷盆·当代仿清

由上可见，五彩纹饰所涉及的题材内容众多（图 5-63），与主流瓷器青花瓷在纹饰上几乎是相当。不过从时代上看，明清时期五彩纹饰略有差别。明代题材似乎分散性还比较强，纹饰之间的相互连续性不是很强，同时具有一些鲜明的特征，如缠枝花卉多以莲花为常见；八仙带有浓郁的道教意味；人物多是高士。而清代五彩纹饰在题材上与明代相比逐渐向固定化发展，在种类上明显比明代要少，人物复杂化，常常是一些戏剧、小说、民间故事中的题材，表达内容讲究来源，讲究寓意和教化的功能。总之从题材上看，明清五彩纹饰由于发展时间比较长，已经形成了一个完备的题材体系，某些纹饰一看就知道这些图案常见于瓷器之上。无论是青花瓷（图 5-64）、斗彩（图 5-65）、粉彩、珐琅彩等（图 5-66），只是施彩步骤、材料、烧造工艺不同而已。明清瓷器的特征就是这样，已经完全脱离了中国古代瓷器东汉六朝、隋唐五代、宋元那种不重视纹饰之风，而是变得特别重视纹饰的文化意韵（图 5-67）。限于篇幅，其他品类瓷器纹饰特征就不再赘述。

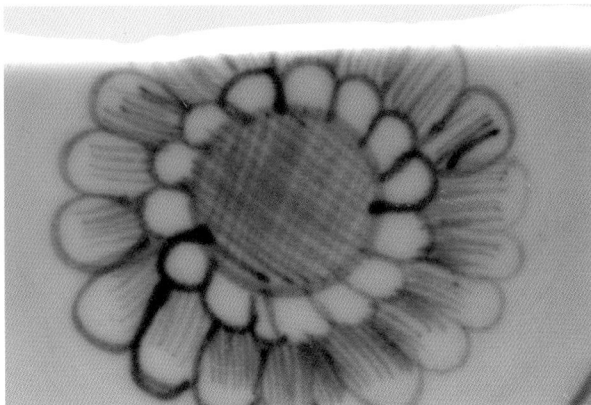

图 5-64 成化朝青花瓷花卉纹·明代

图 5-65　斗彩仙桃纹碗·当代仿清

图 5-66　粉彩婴童图·清代

图 5-67　粉彩婴戏图标本·清代

第六章 识市场

第一节 逛市场

一、国有文物商店

国有文物商店收藏的瓷器具有其他艺术品销售实体所不具备的优势（图 6-1）：一是实力雄厚；二是古代瓷器数量较多；三是瓷器鉴定专业人员多；四是在进货渠道上层层把关；五是国有企业集体定价，价格比较适中（图 6-2）。国有文物商店是我们购买瓷器的好去处。基本上每一个省都有国有的文物商店，店面分布较均衡，便于人们进行购买。下面我们具体来看一看表 6-1。

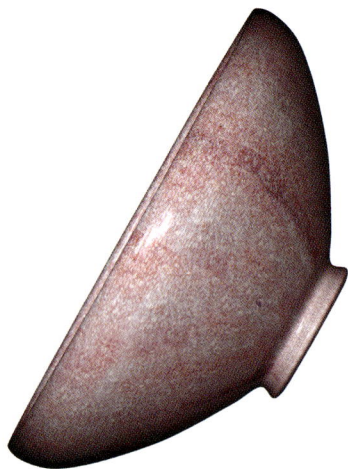

图 6-1　浅淡玫瑰紫釉碗（三维复原图）·宋代

表 6-1 国有文物商店瓷器品质优劣表

名称	时代	窑口	数量	品质	体积	检测	市场
瓷器	东汉晚期	上虞窑，等	多见	普／粗	大小兼备	通常无	国有文物商店
	六朝	越窑，等	多见	精／普／粗	大小兼备	通常无	
	唐代	邢窑，等	多见	精／普／粗	大小兼备	通常无	
	五代	越窑，等	多见	精／普／粗	大小兼备	通常无	
	宋代	定窑，等	多见	精／普／粗	大小兼备	通常无	
	元代	龙泉窑，等	多见	精／普／粗	大小兼备	通常无	
	明清	景德镇窑，等	多见	精／普／粗	大小兼备	通常无	

图6-2 寿州窑黄釉瓷枕·宋代

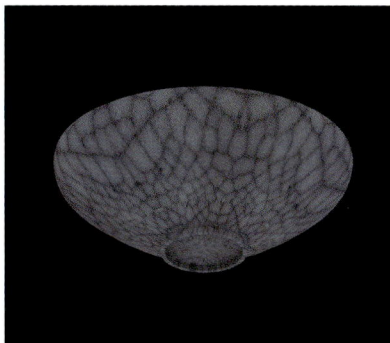

图6-3 哥窑瓷碗·宋代

图6-5 天蓝釉类汝似钧釉瓷器标本·宋代

由上可见，从时代上看，国有文物商店古代瓷器常见，东汉晚期、六朝时期、隋唐五代时期、宋元时期、明清时期、民国时期都有。瓷器是中国人民的伟大发明，在漫长的古瓷器烧制史中，青瓷、黑瓷、白瓷、秘色瓷、青花瓷、绞胎、五彩、斗彩、珐琅彩、粉彩……群星璀璨（图6-3）。越窑的"青翠欲滴"，达到了青瓷器在釉色烧造上的尽头；邢窑的"类雪似玉"，达到了白瓷在釉色烧造上的尽头；定窑的"象牙白"，至今依然令我们回味无穷；唐代的"南青北白"；宋代的官、哥、汝、定、钧，五大名窑；元、明的青花瓷（图6-4），共同将中国古瓷的烧造技术推向了顶峰；清代康熙、雍正、乾隆三朝的古瓷器更是做工精湛、造型隽永，引得多少人如痴如醉。而国有文物商店是销售这些瓷器珍品的主阵地，东汉晚期，直至明清的各种瓷器都有见。从窑系上看，文物商店内的瓷器特征明确，多数都可以归入相应的窑口，可以说是名窑林立。如芝麻钉痕的天青釉瓷器可以归入汝窑（图6-5）；鸡油黄釉瓷器可以归入景德镇

图6-4 嘉靖青花瓷盖盏·明代

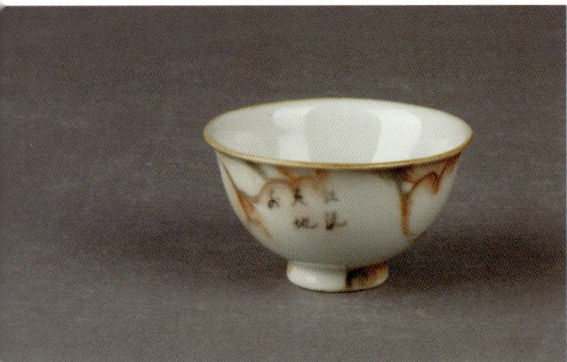

图 6-7 "江流天地间"彩瓷碗·明代

图 6-6 汝窑天青釉洗·当代仿宋

窑；灿若红霞的玫瑰紫釉瓷器可以归入钧窑（图 6-6）；青翠欲滴的梅子青釉瓷器可以归入龙泉窑等。总之，文物商店内的瓷器在窑口上特别丰富，基本可以涵盖各个时期重要窑口的瓷器，只是大小不同的文物商店在数量上有区别而已。从品质上看，各朝代的瓷器在品质上精致、普通、粗糙者都有见。但从根本上看主要以官窑和民窑为分界线：官窑瓷器在品质上一流，不计工本，精美绝伦；而民窑瓷器由于受到成本的限制，在精致程度上并不能保证，会出现精致、普通和粗糙的区分。从体积上看，国有文物商店内的中国古代瓷器大小不一，但分界线也是以官窑、民窑为显著特征。官窑瓷器通常以小器为主（图 6-7）；而民窑通常则是大小兼备。从检测上看，无论哪个时代的瓷器通常都没有什么检测证书。对于瓷器的行规就是凭借自己的眼力，因此把玩鉴定要点是关键。不过，文物商店内的瓷器伪器很少，因为这事关国有文物商店的信誉和鉴定能力问题。

二、大中型古玩市场

　　大中型古玩市场是瓷器销售的主战场（图 6-8），如北京的琉璃厂、潘家园等，以及郑州古玩城、兰州古玩城、武汉古玩城等都属于比较大的古玩市场，集中了很多瓷器销售商，像北京报国寺只能算作是中型的古玩市场（图 6-9）。下面我们具体来看一下表 6-2。

图 6-8 品相较优的兔毫釉茶盏·宋代

图 6-9 极为稀少的精致油滴釉黑瓷标本·宋代

表6-2 大中型古玩市场瓷器品质优劣表

名称	时代	窑口	数量	品质	体积	检测	市场
瓷器	东汉晚期	上虞窑，等	多见	普／粗	大小兼备	通常无	大中型古玩市场
	六朝	越窑，等	多见	精／普／粗	大小兼备	通常无	
	唐代	邢窑，等	多见	精／普／粗	大小兼备	通常无	
	五代	越窑，等	多见	精／普／粗	大小兼备	通常无	
	宋代	定窑，等	多见	精／普／粗	大小兼备	通常无	
	元代	龙泉窑，等	多见	精／普／粗	大小兼备	通常无	
	明清	景德镇窑，等	多见	精／普／粗	大小兼备	通常无	

由上可见，从时代上看，大中型古玩市场上的瓷器东汉晚期、六朝、隋唐五代、宋元、明清、民国都有见（图6-10），品类繁多，灿若星辰。从窑口上看，大中型古玩市场的瓷器并不复杂，除了像黑瓷等少数不能纳入窑口外，其他大多数瓷器都可以纳入相应的窑口。如青花瓷可以纳入景德镇窑；木叶贴花瓷器可以纳入吉州窑等。总之，在窑口特征上十分明确。从数量上看，东汉晚期、六朝、隋唐五代、宋元明清、民国时期的瓷器在大中型古玩市场内十分常见，如在潘家园市场上到处都是，几百个摊位在销售，早市上人声鼎沸，热闹非凡。从品质上看，不同时期的瓷器品质不同。当然，较为公认的是宋代中国瓷业达到顶峰（图6-11）。但是在精致程度上最重要的区分还是官窑与民窑。官窑瓷器因为烧造是不计工本的，烧造不好直接打碎，也不向外销售，目的就是烧造出精美绝伦的瓷器。而民窑显然不能这样做，即使烧坏的产品，只要不影响实用，照样打折销售。所以，二者相比，在品质上自然是民窑产品精致程度不一。从体积上看，大中型市场内各个时代的瓷器大小兼备（图6-12），在体积上特征不明确。从检测上看，大中型古玩市场上的瓷器基本上没有经过专家检测，需要自己判断真伪。

图6-10 精美绝伦的青花瓷瓶·清代

图 6-11 稀疏大开片钧瓷碗（三维复原图）·宋代

图 6-12 精益求精的青瓷碗·宋代

图 6-13 敞口孔雀绿釉瓷盘·宋代

三、自发形成的古玩市场

这类市场三五户成群，大一点的几十户。这类市场不很稳定（图 6-13），有时不停地换地方，但却是我们购买瓷器的好地方。我们具体来看一下表 6-3。

表 6-3 自发古玩市场瓷器品质优劣表

名称	时代	窑口	数量	品质	体积	检测	市场
瓷器	东汉晚期	上虞窑，等	多见	普／粗	大小兼备	通常无	自发形成的古玩市场
	六朝	越窑，等	多见	精／普／粗	大小兼备	通常无	
	唐代	邢窑，等	多见	精／普／粗	大小兼备	通常无	
	五代	越窑，等	多见	精／普／粗	大小兼备	通常无	
	宋代	定窑，等	多见	精／普／粗	大小兼备	通常无	
	元代	龙泉窑，等	多见	精／普／粗	大小兼备	通常无	
	明清	景德镇窑，等	多见	精／普／粗	大小兼备	通常无	

由上可见，从时代上看，自发形成的古玩市场上的瓷器各个时代都有见（图6-14），但真伪难辨，想要淘宝需要具有很高的水平（图6-15）。从窑口上看，自发形成的古玩市场上的瓷器在窑口特征上也是比较明确，如玉璧足的白瓷碗自然应该归入邢窑；油滴釉瓷器多数归入建窑和吉州窑等（图6-16）。从数量上看，中国古代瓷器在数量上总量很大，是市场上销售的主流。从品质上看，古瓷器品质特征比较复杂，主要以官窑和民窑为显著特征。官窑瓷器品质整齐划一，精美绝伦；而民窑瓷器则不同，精致、普通和粗糙者都有见（图6-17）。从体积上看，各个时代的瓷器由于是人们日常生活用具，所以大小兼备（图6-18）。从检测上看，这类自发形成的小市场上的瓷器多数没有经过专家长眼，基本上靠自己的鉴赏能力（图6-19）。

图6-14 哥窑瓷碗（三维复原图）·宋代

图6-15 略厚胎钧红釉瓷器标本·宋代

图6-16 建窑黑釉茶盏·宋代

图6-17 侈口青花瓷碗·清代

图 6-18　景德镇窑鼓腹茶叶末釉梅瓶·当代仿清

图 6-19　普通茄皮釉灯盏·清代

四、网上淘宝

网上购物近些年来成为时尚，同样网上也可以购买瓷器（图 6-20）。上网搜索会出现许多销售瓷器的网站，下面我们来通过表 6-4 具体看一下。

表 6-4　网络市场瓷器品质优劣表

名称	时代	窑口	数量	品质	体积	检测	市场
瓷器	东汉晚期	上虞窑，等	多见	普／粗	大小兼备	通常无	网上淘宝
	六朝	越窑，等	多见	精／普／粗	大小兼备	通常无	
	唐代	邢窑，等	多见	精／普／粗	大小兼备	通常无	
	五代	越窑，等	多见	精／普／粗	大小兼备	通常无	
	宋代	定窑，等	多见	精／普／粗	大小兼备	通常无	
	元代	龙泉窑，等	多见	精／普／粗	大小兼备	通常无	
	明清	景德镇窑，等	多见	精／普／粗	大小兼备	通常无	

图 6-20　造型隽永的褐釉瓷盒·宋代

图 6-21　精美绝伦的乌金釉花卉纹珐琅彩瓷盒·当代仿清

　　由上可见，从时代上看，网上淘宝可以通过搜索看到几乎所有时代的瓷器，可谓是名瓷荟萃，琳琅满目（图 6-21）。但是只能看到照片，真伪的确是一个问题。即使是说能够换货，但是自身鉴赏的能力也是一个问题，所以有的时候我们不妨试想一下，网络销售的大量古代珍贵瓷器的货源从哪里来呢？如汝窑瓷器从网上以很便宜的价格一下子就能买上几十件，从概率上讲应该就不对。因为整个汝窑的瓷器全世界的量也不过几十件。另外，从价格上也可以感觉一下，还以汝窑瓷器为例。汝窑瓷器很多拍卖价都是上亿元，而网上几十元一件的卖品，真实性可想而知。从窑口上看，网络上的中国古代瓷器在窑口上比较齐全，各个时代的名窑都有见（图 6-22），但需要仔细甄别。从数量上看，不同时代的中国古代瓷器在数量上相当复杂，从宏观上看主要以官窑与民窑为分界线。官

图 6-22　天青釉汝窑瓷器标本·宋代

图 6-23　汝窑天青釉瓷碗（三维复原图）·宋代

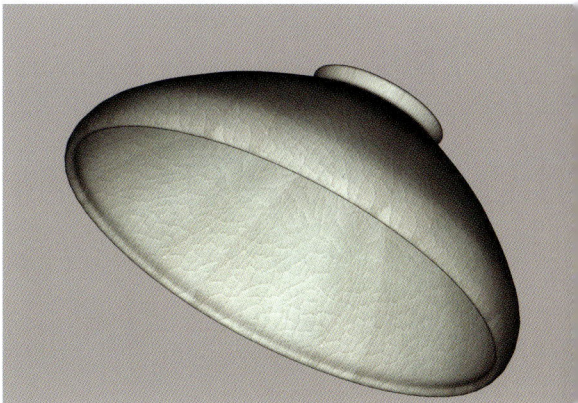

图 6-24 普通钧釉青瓷标本·元代

窑瓷器数量很少；而民窑瓷器规模庞大（图 6-23）。从品质上看，东汉晚期、六朝时期、隋唐五代、宋元明清、民国瓷器在品质上均有精致、普通、粗糙之分（图 6-24），但也是以官、民窑为分界线。官窑瓷器精致程度高；而民窑瓷器精致程度复杂化。从体积上看，中国古代瓷器在网上可以看到大小不一（图 6-25），大小兼备。从检测上看，网上淘宝而来的瓷器真伪难辨，完全依靠的自己的鉴赏水平。

图 6-25 红彩瓷碟·清代

五、拍卖行

瓷器拍卖是拍卖行传统的业务之一，是我们淘宝的好地方（图 6-26），具体我们来看下表 6-5。

表 6-5 拍卖行瓷器品质优劣表

名称	时代	窑口	数量	品质	体积	检测	市场
瓷器	东汉晚期	上虞窑，等	多见	普／粗	大小兼备	通常无	拍卖行
	六朝	越窑，等	多见	精／普／粗	大小兼备	通常无	
	唐代	邢窑，等	多见	精／普／粗	大小兼备	通常无	
	五代	越窑，等	多见	精／普／粗	大小兼备	通常无	
	宋代	定窑，等	多见	精／普／粗	大小兼备	通常无	
	元代	龙泉窑，等	多见	精／普／粗	大小兼备	通常无	
	明清	景德镇窑，等	多见	精／普／粗	大小兼备	通常无	

图 6-26 至纯至美海棠红釉瓷碗（三维复原图）· 宋代

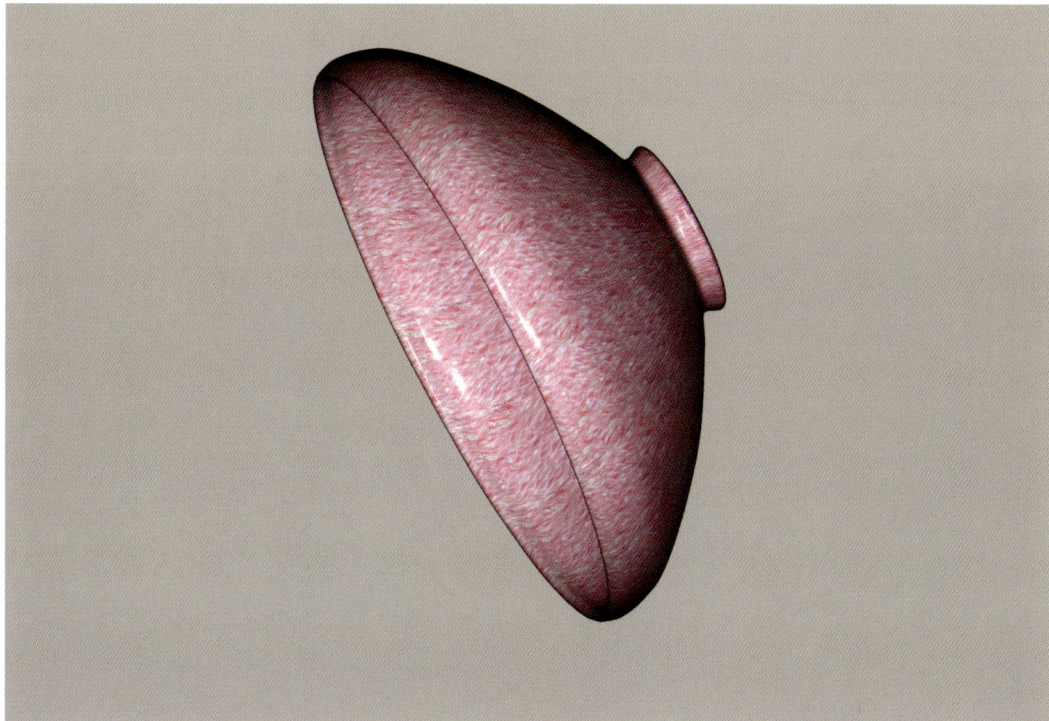

　　由上可见，从时代上看，拍卖行拍卖的瓷器各个历史时期的都有见（图6-27）。从窑口上看，拍卖市场上的中国古代瓷器窑口特征十分明确。如元青花可以归入景德镇窑；鸡油黄瓷器可以归入景德镇御窑厂；兔毫盏可以归入建窑等。从数量上看，古代瓷器拍卖以各个时期的精品为主（图6-28），而且越具有稀缺性，越是拍卖行所追求的。如官窑瓷器非常稀少，但却是每一场拍卖会上的常客。再如，黑定瓷器数量非常少，但也是拍卖会上能够见到的（图6-29）。从品质上看，中国古代瓷器在精致程度上精致、普通者都有见，但主要以拍卖的官窑瓷器，以及各个窑口瓷器中的精品为主。从体积上看，拍卖行拍卖的瓷器体积大小不一，并没有过于突出的特征。从检测上看，拍卖场上的瓷器主要以买家的鉴赏能力为判断标准，拍卖行只是一个平台（图6-30）。

图6-27　青瓷盏标本·宋代

图6-28　精细化妆土白釉画花瓷枕·宋代

图 6-29　定窑黑釉瓷盏·宋代

图 6-30　尖圆唇青花瓷盘·清代

六、典当行

典当行也是购买瓷器的好去处，典当行的特点是对来货把关比较严格，一般都是死当的瓷器才会被用来销售（图6-31）。具体我们来看下表6-6。

表6-6 典当行瓷器品质优劣表

名称	时代	窑口	数量	品质	体积	检测	市场
瓷器	东汉晚期	上虞窑，等	多见	普／粗	大小兼备	通常无	典当行
	六朝	越窑，等	多见	精／普／粗	大小兼备	通常无	
	唐代	邢窑，等	多见	精／普／粗	大小兼备	通常无	
	五代	越窑，等	多见	精／普／粗	大小兼备	通常无	
	宋代	定窑，等	多见	精／普／粗	大小兼备	通常无	
	元代	龙泉窑，等	多见	精／普／粗	大小兼备	通常无	
	明清	景德镇窑，等	多见	精／普／粗	大小兼备	通常无	

图6-31 通体施釉"类汝似钧"天蓝釉瓷器标本·宋代

图 6-33　稳定性较好浅淡玫瑰紫釉碗（三维复原图）·宋代

　　由上可见，从时代上看，典当行的瓷器主要以明清、民国多见（图 6-32）。从窑口上看，主要以景德镇窑为主。从品质上看，典当行内的瓷器精致者有见，主要以官窑瓷器为多见，但普通瓷器，甚至是粗糙的瓷器也有见，价格也是高低错落有致。从体积上看，瓷器在体积上特征并不明确，大小兼具（图 6-33）。从检测上看，典当行内的瓷器制品一般没有检测证书，品级高低和真伪完全取决于购买者的鉴赏水平。

图 6-32　实用与装饰结合近圆唇浅绛彩瓷盘·民国

图 6-34 景德镇窑红釉瓷尊·清代

第二节 评价格

一、市场参考价

    中国古代瓷器在价格上升值很快
（图6-34），在漫长的古瓷器烧制史中，
青瓷、黑瓷、白瓷、秘色瓷、青花瓷、
豇豆红、鸡油黄等，真可谓是群星璀璨（图
6-35）。唐代的南青北白（图6-36、6-37）；宋代的官、哥、汝、定、
钧五大名窑；元、明的青花瓷，共同将中国古瓷的烧造技术推向了
巅峰；清代康熙、雍正、乾隆三代的古瓷器做工更是精湛、造型隽永、
雕刻凝烁，引得多少人如痴如醉。不过，中国古代瓷器的价格与窑口、
官民窑性质、精致程度等关系密切，如康熙、雍正、乾隆三代的古
瓷器官窑和民窑在精致程度上有着很大区别。官窑几乎全部是精美
绝伦之器；而民窑则很难达到官窑的水平，而且有很多粗瓷。这主

图 6-36 青瓷碗·唐代

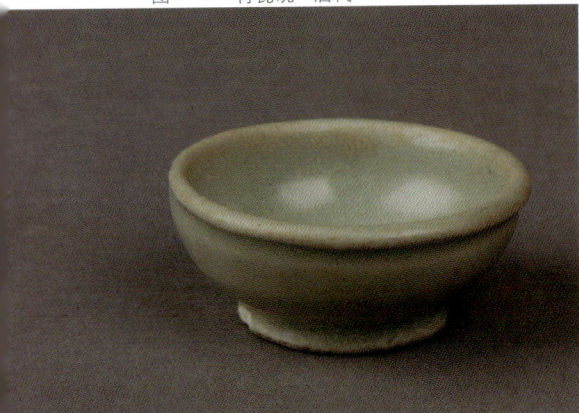

图 6-35 豆青釉标本·清代

图 6-37 白釉微闪青黄瓷罐·唐代

要与烧造工本的关系密切，我们知道官窑是不计算工本的。普通的
中国古代瓷器，如龙泉窑、耀州窑的瓷器价格上升也很快（图 6-38），
已经从数年前的几十元攀升至今日的数万元，可见中国古代瓷器的
价格是所向披靡，青云直上九天。但也可以看到，中国古代瓷
器的参考价格具有复杂性（图 6-39），下面让我们来看一下中国古代瓷
器主要的价格。但是，这个价格只是一个参考，因为本书的价格是
已经抽象过的价格，是研究用的价格（图 6-40），实际上已经隐去
了该行业的商业机密，如有雷同，纯属巧合，仅仅是给读者一个参
考而已。

图 6-38 耀州窑花卉纹青瓷标本·宋代

图 6—39 粉彩八棱碗·清代

宋 官窑长颈瓶：1850 万～ 3500 万元。

南宋 龙泉仿官窑直颈瓶：200 万～ 260 万元。

宋 官窑琮式瓶：660 万～ 680 万元。

宋 汝瓷尊：1200 万～ 2300 万元。

宋 汝瓷洗：2300 万～ 4700 万元。

元 官窑贯耳壶：360 万～ 560 万元。

明永乐 青花扁壶：9600 万～ 9800 万元。

明 洪武龙泉官窑盘：48 万～ 68 万元。

明 永乐龙泉官窑大盘：160 万～ 280 万元。

明 永乐处州龙泉官窑梅瓶：56 万～ 88 万元。

明 永乐龙泉官窑墩式碗：80 万～ 120 万元。

明 宣德青花瓷砖：20 万～ 60 万元。

明 历青花五彩盘：36 万～ 46 万元。

明 龙泉窑青瓷香炉：3.8 万～ 4.6 万元。

清 雍正珐琅彩观音：8600 万～ 8800 万元。

清 雍正青花淡描花卉碗：20 万～ 30 万元。

清 雍正小尊：48 万～ 540 万元。

清 乾隆青花寿字碗：40 万～ 60 万元。

清 乾隆松石绿地粉彩瓷板：0.7 万～ 0.9 万元。

清 乾隆酱釉笔筒：0.3 万～ 0.6 万元。

清 嘉庆青花碗：10 万～ 20 万元。

清 嘉庆黄釉盘：2 万～3 万元。

清 嘉庆青花瓷板：2 万～6 万元。

清 道光青花碗：20 万～50 万元。

清 道光碗：6.5 万～8.5 万元。

清 道光粉彩碗：6.6 万～8.6 万元。

清 光绪印盒：20 万～30 万元。

清 光绪笔筒：2 万～3 万元。

清 光绪素三彩罐：0.6 万～0.9 万元。

清 光绪扁瓶：6 万～8 万元。

清 光绪鳝鱼黄扁瓶：10 万～28 万元。

清 光绪青花赏瓶：30 万～40 万元。

清 光绪粉彩青花碗：10 万～20 万元。

清 乾隆酱釉笔筒：0.3 万～0.6 万元。

清 青花瓷板：0.2 万～4.8 万元。

清 妈祖像：0.3 万～0.6 万元。

清 文官像：0.5 万～0.8 万元。

清 黄釉小碗：2 万～2.6 万元。

清 康熙凤尾尊：10 万～18 万元。

民国 粉彩瓷板：0.7 万～28 万元。

图 6-40 茶具青瓷盏·宋代

图 6-41 精致茄皮釉瓷器标本·清代

图 6-42 黑釉瓷钵·元代

二、砍价技巧

　　砍价是一种技巧，但并不是根本性的商业活动（图6-41）。它的目的就是与对方讨价还价，找到对自己最有力的因素。但从理论上讲，只能将虚高的价格谈下来，但当接近成本时显然是无法真正砍价的（图6-42）。所以，忽略古瓷器品质而一味地砍价并不可取。通常古瓷器的砍价主要有这样几个方面。一是品相，中国古代瓷器在品相上参差不齐，残缺不全者有见，完好者亦有见，但品相的优劣直接会影响到其价格的高低（图6-43）。如一件官窑青花瓷如果是完好无损的可能价值数百万，而如果是有一条裂缝，即使修复，但如果用检测仪器等看出来，就成为了残瓷，价格自然可以砍到最低，几万元都可以拿下。二是工艺水平反应的是瓷器整体的优劣，我们可以从其质地、造型、纹饰、釉质等多个方面来寻找缺陷（图6-44）。每一个瑕疵都可以作为一个问题提出来，以作为砍价的依据（图6-45）。从精致程度上看，中国古代瓷器的精致程度民窑性质的窑场可以分为精致、普通、粗瓷等，那么其价格自然也就是参差不同。所以，将自己要购买的中国古代瓷器归类到各个层级，这是砍价的基础（图6-46）。总之，中国古代瓷器的砍价技巧涉及时代、造型、纹饰、窑口、釉色、胎质等诸多方面。从中找出缺陷，必将成为砍价利器（图6-47）。

图6-43　撇口黄益财作品"美人如玉"粉彩盘·民国

图6-44　邢窑白瓷瓜棱罐·唐代

图6-45　小口红地粉彩人物纹瓷鼻烟壶·当代仿清

图6-46　微折沿粉彩瓷碗·清代

图6-47　尖圆唇粉彩瓷碗·当代仿清

图 6-48 造型简洁明快的青花缠枝花卉纹瓷盘·清代

第三节 懂保养

一、清 洗

　　清洗是很多人收藏到中国古代瓷器之后要进行的一项工作（图 6-48），目的就是要把瓷器表面及其断裂面的灰土和污垢清除干净。但在清洗的过程当中首先要保护瓷器不受到伤害。首先，要观察瓷器是高温釉还是低温釉，以及有没有胎釉结合上的问题。如果是高温釉，通常可以采用直接入水法来进行清洗。但不要将古代瓷器直接放到自来水中清洗，自来水中的多种有害物质会使瓷器釉面受到伤害。通常，应将其放入到纯净水中进行清洗（图 6-49）。而低温烧造的古代瓷器最好不要直接放入任何水中清洗，以免对瓷器造成伤害。应送交专业的机构进行清洗。还有就是放入纯净水中清洗的瓷器，要待到土蚀完全溶解后，再用棉球将其擦拭干净。遇到土蚀未清除干净的瓷器，可以用牛角刀进行试探性的剔除，如果还未洗净，请送交文物专业修复机构进行处理，千万不要强行机械剔除，以免伤及釉面，给瓷器带来损失。

图 6-49　发色灰暗崇祯花卉纹青花瓷杯·明代

图 6-50 磁州窑孔雀绿釉瓷盘·宋代

二、修　复

　　刚出土的中国古代瓷器大多数需要修复（图 6-50），如果只是一点小的磨伤等，调色上色就可以了，但是如果有大的残缺，修复主要包括拼接和配补两部分。拼接就是用黏合剂把破碎的古代瓷器片重新黏合起来。拼接工作十分复杂，有时想把它们重新黏合起来也十分困难。一般情况下主要是根据共同点进行组合。如根据碎片的形状、釉色等特点，逐块进行拼对，最后再进行调整。配补是研究修复的最后一个步骤，如，有底有口沿的中国古代瓷碗都可以通过配补将其复原（图 6-51）。就是把损坏不存在的部位，恢复到原来的形状。配补的方法很多，主要有填补、模补。一般情况下，残缺面积很小的部位，直接拿一块麻布进行填补后，进行修整就可以了。而残损比较严重的情况就必须进行模补。另外，经过配补而形成的中国古代瓷器，表面非常粗糙，可以说是坑凹不平，因此就需要对修补材料，特别是用石膏进行修补的表面进行修整。经过休整后的石膏面基本平整，之后再用木砂纸等进行打磨（图 6-52）。

图 6-52 类汝似钧月白釉色瓷碗（三维复原图）·宋代　图 6-51 淘洗精炼的青瓷标本·宋代

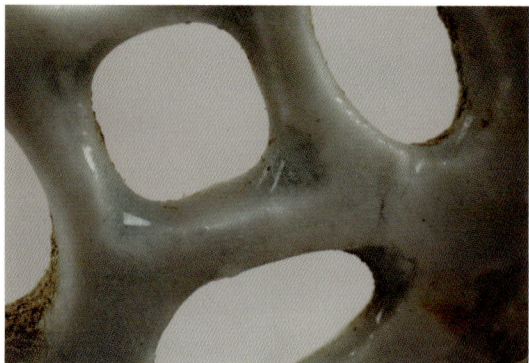

图 6-53 青白泛绿釉镂空窗饰·宋代

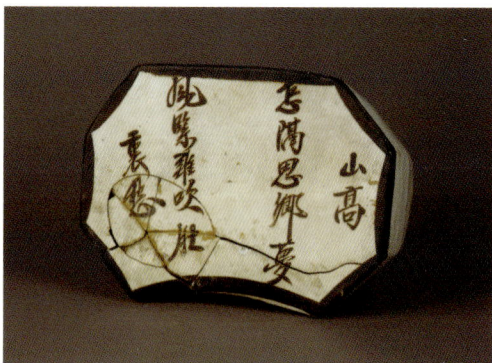

图 6-54 "山高怎隔思乡梦"白釉画花瓷枕·宋代

三、养 护

（1）加固：有相当一部分中国古代瓷器是用石膏修复的，而石膏的机械强度极低，很容易破碎，所以需要对石膏进行加固，使石膏的强度增大，质地坚硬。具体操作方法是把环氧树脂混合液同乙醇按 1∶1 的比例混合后，用毛笔均匀地涂敷在石膏面上（图 6-53）。这样，整个修复过程才可以说是完成了。利用乙醇把强度极大的永久性黏合剂环氧树脂混合液带进石膏内，这时的石膏面就会变得异常坚硬，不易破碎。但这种加固并不是一劳永逸的，而是需要过一段时间加固一次（图 6-54），不然仍然有开裂的危险。

（2）相对温度：古代瓷器的保养也很重要，特别是对于经过修复，并复原的古代瓷器尤为重要（图 6-55）。因为一般情况下黏合剂都有其温度的最高界限，如果超出就很容易出现黏合不紧密的现象。如热熔胶的溶解温度在 55℃ 左右，如果高出这个温度可能就要出问题。但一般情况下都不会高出这个温度，我们在保存时注意就可以了。

（3）相对湿度：中国古代瓷器在相对湿度上一般应保持在 50% 左右，如果相对湿度过大，一些受过伤的胎体就会受到水的侵害（图 6-56），水会沿着哪怕是再微小的裂缝进入到色釉瓷体内，如果温度下降至 0℃ 以下，就会产生巨大的张力，从而导致瓷器破碎。

（4）存放：存放主要是防止磕碰，马虎大意往往是中国古代瓷器釉面受到伤害的最主要因素（图 6-57）。有时，我们在往柜架里放的时候往往会不小心造成磕碰，所以通常情况下不要随意移动收藏的中国古代瓷器珍品。像博物馆库房内几年、甚至十几年都不去动都是很正常的事情。私人收藏也要尽可能不要频繁地搬动。如果必须进行移动，一定要事先做好方案，考虑到方方面面。

图 6-55　花卉纹白釉
画花瓷碗·宋代

图 6-56　花卉珍珠地
"福德"瓷枕·宋代

图 6-57　精绝之器
白釉画花梅瓶·辽代

　　（5）日常维护：中国古代瓷器日常维护的第一步是进行测量。要对瓷器的长度、高度、厚度等有效数据进行测量、拍照等（图6-58），目的很明确，就是对古代瓷器进行研究，以及防止被盗或是被调换。第二步是建卡，中国古代瓷器收藏当中有很多机构，如博物馆等，通常给瓷器建立卡片，写上名称，包括原来的名字和现在的名字，以及规范的名称；其次是年代，就是这件古代瓷器的制造年代、考古学年代；还有质地、功能、工艺技法、形态特征等的详细文字描述。这样就完成了对中国古代瓷器最基本特征的登记。第三步是建账，机构收藏的中国古代瓷器，如博物馆通常在测量、拍照、卡片、包括绘图等完成以后，还需要入国家财产总登记账，和分类账两种，一式一份，不能复制。主要内容是将文物编号，有总登记号、名称、年代、质地、数量、尺寸、级别、完残程度、以及入藏日期等。总登记账要求有电子和纸质两种，是文物的基本账册。藏品分类账也是由总登记号、分类号、名称、年代、质地等组成，以备查阅。总之登记的内容很多，在这里我们就不再赘述。其原则是要认真地对待收藏中的保养问题（图6-59），因为只有这样才能使绚丽多彩的中国古代瓷器永远地流传下去，也才能够实现收藏者所预期的保值和升值的功能。

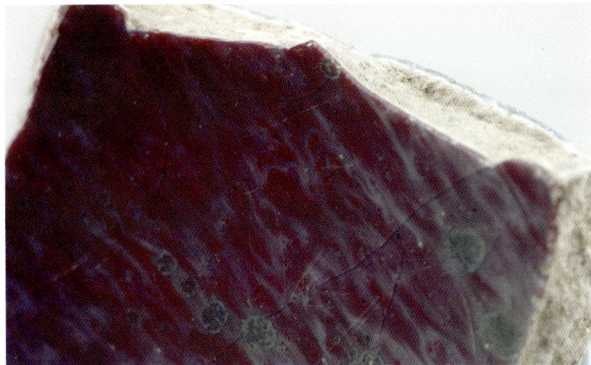

图 6-58　钧红釉瓷器·宋代

图 6-59　天蓝釉钧瓷碗（三维复原图）·宋代

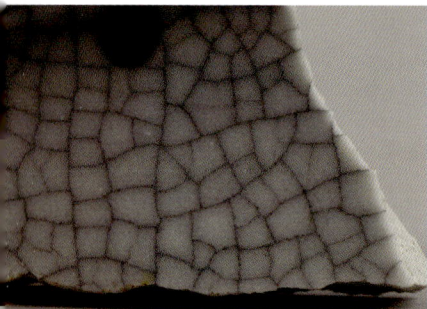

图 6-61 哥窑白
胎瓷器标本·宋代

图 6-60 胎体规整的
缠枝葡萄纹瓷洗·明代

图 6-62 景德镇窑青花
缠枝花卉纹盖罐·清代

第四节 市场趋势

一、价值判断

　　中国古代瓷器的价值评定就是评判价值（图 6-60），我们做了大量的工作，所要得到的结果就是评价值，在评判价值的过程中，也许一件瓷器有很多的价值，但一般来讲我们要说出古瓷器的三大价值，即古瓷器的研究价值、艺术价值、经济价值。当然，这三大价值是建立在鉴定要点的基础之上的。研究价值主要是指在科研的上的价值，如被鉴定的瓷器填补了一个科学上的空白；再如，发现了一件瓷器推翻了一个结论等，这些都是研究价值的体现。但是，在实际的鉴定工作中，从大多数的瓷器上所得出的结论都是一些普通的结论，没有什么重大的考古大发现。不过，每一件古瓷器应该都有其自身的价值所在（图 6-61），所以，在鉴定中我们一定要评判出古瓷器的研究价值。而艺术价值就更为复杂，如古瓷器的造型艺术、纹饰、以及书法艺术等，都是同时代艺术水平和思想观念的体现，特别是一些官窑瓷器更具有较高的艺术价值。而我们鉴定其目的之一就是要挖掘这些艺术价值。另外，古瓷器都有其一定的经济价值，特别是一些精品古瓷器的价值就更高了。但在当今社会，古瓷器的经济价值有一个相当重要的特点，就是基本上都是以价格的形式来体现的（图 6-62）。

　　所以，我们在鉴定完一件瓷器后，要根据其市场上一般的行情，再结合以前拍卖的记录，给出一个参考价格，以及升值的预期。以上是分析古瓷器市场趋势的全过程，仅仅供读者参考。不过分析的方法也有很多，但在内容上基本都相似。

二、保值与升值

瓷器在中国有着悠久的历史，最早的古瓷器可以追溯至商周秦汉时期的原始青瓷。原始青瓷在色彩上还不是很稳定，是不成熟的青色。东汉晚期出现了真正意义上的青瓷，呈色稳定，当然在青瓷器出现的同时也出现了黑瓷。隋代白釉烧制成功；唐代黄釉、绿釉等瓷器出现了；宋代钧窑出现了最早的铜红釉，为元、明、清时期众多中国古代新品瓷器的产生奠定了坚实的基础。元代成功烧制了青花、釉里红、高温红釉、蓝釉、低温孔雀绿釉等。明、清两代是中国古代瓷器大发展的时期，产生了众多的瓷器品种，红彩、斗彩、五彩、金彩、三彩、白釉、铜红釉、紫釉、仿官釉、仿汝釉、仿哥釉、黄釉、绿釉、祭红、郎窑红、胭脂红、珐琅彩、粉彩等（图6-63），可谓是种类繁多。古瓷器的经济价值在当今社会的特点是：遵守价值规律，受市场供求关系影响。

从收藏的历史看，官窑古瓷器的收藏有着悠久的历史，但民窑瓷器从进入市场后同样受到广大古瓷爱好者青睐，价格还属起步阶段，随着收藏的深入，其价格会继续地不断攀升（图6-64）。今天，中国古代瓷器会受到人们追捧，与近些年来股市低迷、楼市不稳有所加剧有关。越来越多的人把目光投向了中国古代瓷器收藏市场。在这种背景之下，中国古代瓷器与资本结缘，成为资本追逐的对象（图6-65）。高品质的中国古代瓷器的价格扶摇直上，升值达数十倍、上百倍。而且这一趋势依然在迅猛发展。

图6-63　红绿彩草
叶纹标本·明代

图6-64　蟹爪纹汝
窑瓷瓶·当代仿宋

图6-65　实用与装饰功能结
合的黑定茶盏·宋代

参考文献

[1] 南京市博物馆，南京市玄武区文化局.江苏南京市富贵山六朝墓地发掘简报 [J].考古，1998(8)：35~47.

[2] 姚江波.中国古代瓷器鉴定 [M].长沙：湖南美术出版社，2009.

[3] 姚江波.瓷器鉴赏收藏手册 [M].北京：中国轻工业出版社，2009.

[4] 浙江省文物考古研究所，慈溪市文物管理委员会.浙江慈溪市越窑石马弄窑址的发掘 [J].考古，2001(10)：59-68.

[5] 姚江波.邢窑白瓷鉴定要点 [J].中国拍卖，2012(4)：36-37.

[6] 西北大学考古队.重庆云阳乔家院子遗址唐宋时期遗存 [J].江汉考古，2002(3)：28-37.

[7] 河南省文物考古研究所，平顶山市文物管理委员会办公室，宝丰县文物保护管理所.宝丰清凉寺汝窑遗址的新发现 [J].华夏考古，2001(3)：21-28.